L'invité du hasard

ou

La mémoire des arbres

Du même auteur

Chez le même éditeur:

La ruelle effrayante, roman, collection
   Papillon, 1990.
Zoé entre deux eaux, roman, collection
   Conquêtes, 1991.
La vie en roux de Rémi Rioux, roman,
   collection Conquêtes, 1992.
Double vie, roman, collection Conquêtes,
   1993.

Chez d'autres éditeurs:

L'amant de Dieu, nouvelles, éditions La
   Presse, 1979.

Le cas Lembour, nouvelles, Maison des
   mots, 1984.

Une course contre la montre, roman-
   jeunesse, éditions Fides, 1989. Prix
   d'excellence, Association des consom-
   mateurs du Québec «Livres 90».

Émilie, la mouche à fruits, conte,
   éditions Michel Quintin, 1990.

Claire Daignault

L'invité du hasard

ou

La mémoire des arbres

roman

ÉDITIONS PIERRE TISSEYRE
5757, rue Cypihot — Saint-Laurent, Québec, H4S 1X4

La publication de cet ouvrage a été rendue possible grâce aux subventions du Conseil des Arts du Canada et du ministère des Affaires culturelles du Québec.

Dépôt légal: 3ᵉ trimestre 1994
Bibliothèque nationale du Canada
Bibliothèque nationale du Québec

Données de catalogage avant publication (Canada)

Daignault, Claire

L'invité du hasard

(Collection Conquêtes; 45)
Pour les jeunes

ISBN 2-89051-557-5

I. Titre. II. Collection.

PS8557.A445I52 1994   jC843'.54   C94-940516-7
PS9557.A445I52 1994
PZ23.D34In 1994

Illustration de la couverture :
Jean-Philémon Garneau

123456789 IML 987654

À Marie-Andrée,
pour une fois...

1 LA BELLE BÊTE

— **W**ôw! Super! Voilà la plus belle de toutes! dis-je en m'extasiant devant la Lumina-Z34-rouge-vif-tout-équipée trônant dans la salle d'exposition du concessionnaire automobile.

— Tu trouves…? minaude mon père.

Je résume de mon mieux:

— Écœurante! Capotante! Géniale! Pétée au max! Plus cool, tu meurs!

— Mais c'est rien qu'une deux portes, laisse tomber ma mère, comme un pigeon laisse tomber une fiente dégoulinante sur le capot étincelant.

Mon père se renfrogne.

— Ça nous changera...

— Changera, changera... pas rien qu'à peu près! Une familiale contre une voiture de course!

— Elle a un bon moteur, de bons freins, et puis le coupé sera facile à revendre.

— Les assurances, as-tu pensé aux assurances? soulève ma mère.

— Ce sera pas si pire... minimise mon père.

Souriant comme un député, le vendeur s'amène, bedaine en avant, complet trois pièces, cravate à rayures, pochette de soie, souliers à pompons, chevalière à l'auriculaire. Son nom est épinglé sur le revers de sa veste: Gaétan Tétreault.

— Un bijou, hein! qu'il vaporise.

— Bien tentante, en convient mon père.

— METS-EN! que je renforce derrière lui.

— Fiston, lui, il connaît ça! Je parie qu'il va vous convaincre, prédit le représentant ventripotent.

— Ça m'étonnerait! persifle ma mère.

Gaétan Tétreault n'a pas besoin de réviser ses notes en psychologie pour comprendre que c'est la dame qui est la récalcitrante, le grain de sable dans la mécanique, le bâton dans les roues, l'eau dans le gaz, tout ça et tous les autres clichés du même cylindre.

Il toussote et démarre en souplesse:

— Ce modèle-là, vous en verrez pas à tous les coins de rue. Y en a seulement 115 au Québec. Coupé sport, mais spacieux, confortable. La suspension, un nuage; les sièges, du velours; la radio, un enchantement. Le pouvoir d'accélération, j'en parle pas; on n'a pas peur de dépasser sur le chemin avec ça. La tenue de route? Impeccable. Avec des pneus pareils, pas de dérapage. Bref, allure racée, sécurité absolue, malléabilité parfaite, puissance accrue, fiabilité éprouvée.

— Un chausson avec ça? ajoute ma mère.

Gaétan Tétreault a un sourire affable.

— Sans compter que le rouge vous va à merveille, madame.

Ma mère reste sans voix. La connerie, quand c'est étudié, ça peut désarmer.

Gaétan Tétreault profite de son avantage:

— Cette auto est construite pour la vitesse, mais sa consommation d'essence est très raisonnable. En plus, le plan de financement offert par GM est surprenant.

— Ah, oui? dit mon père intéressé.

— Si vous voulez bien me suivre dans mon bureau, je vais vous montrer les taux.

Il prend les devants en guide avenant. Ma mère n'a pas le temps de regimber, mon père l'amadoue:

— On peut toujours s'informer.

Moi, les taux, ça ne me passionne pas trop, alors je reste à rôder autour du bolide dans la salle d'exposition. C'est vraiment une belle bête. J'ouvre la portière et m'assois derrière le volant. Le tableau de bord est impressionnant avec tous ses beaux cadrans. Le capot profilé donne envie de dévorer des kilomètres. VRAOOOOUM! HIHA!

J'espère que mon père va l'acheter. Ça se peut. Depuis quelques mois, il fait des tas de choses pour me faire plaisir. On dirait qu'il veut être mon frère. Tactique paternelle? Peut-être. Il se peigne comme moi et, depuis son régime, il s'habille comme moi.

Ça me dérange pas trop, à condition qu'il n'emprunte pas mes affaires. C'est ma mère que sa façon d'agir a l'air d'énerver. Elle trouve qu'il exagère. Faut dire que même son caractère a changé. Si je vous disais qu'il m'arrive de le trouver parfois pire que moi. Il suffit que ma mère dise blanc pour qu'il dise noir. C'est pour ça que l'auto, ça ne me surprendrait pas qu'il l'achète.

Par le rétroviseur, j'aperçois, à l'autre bout de la salle, Marie-Andrée Gladu, une fille de l'école. Plutôt sexy avec ses cheveux cuivrés, ses yeux à zébrures vertes et jaunes et ses pommettes rosées. Elle aussi est avec ses parents; ils inspectent une camionnette.

Elle doit sentir mon magnétisme, car elle dirige son joli minois vers moi. Je me contorsionne pour lui faire signe et voilà que mon coude heurte le klaxon. Un HOOOOOOONK! épouvantable retentit dans toute la salle d'exposition. Tout le monde me regarde. Je suis plus rouge que la Lumina Z34.

La belle Marie-Andrée s'avance vers moi avec un sourire moqueur. À défaut de me cacher dans la boîte à gants, je me laisse glisser jusqu'aux essieux.

— T'es malade, Jean Laplante! rigole-t-elle, la tête à la fenêtre.

— Bah! je me suis accroché. Qu'est-ce que tu fais ici?

— Je magasine pour une robe, rétorque-t-elle malicieusement.

Elle a beau être de mon goût, faudrait quand même pas forcer la note, comme disait mon prof de solfège.

Elle doit lire mes pensées et se reprend, flattant cette fois mon ego:

— Sais-tu que ça te va bien une voiture sport? T'as le genre pour ça.

— Peut-être que je l'achèterai à mon père dans deux ans.

— Ton père va l'acheter!

— Il est en train de discuter le prix avec le vendeur. Tu viens t'asseoir?

Elle contourne rapidement le capot et me rejoint.

— C'est confortable en citron! C'est tes parents qu'on voit dans le bureau du fond?

Acquiescement.

— Et ben, t'es sûr que ton père va l'acheter, la voiture, qu'elle atteste.

— Comment ça?

— Ils sont avec mon oncle Gaétan. Lui, quand il cuisine un client, il ne le lâche pas avant qu'il soit cuit!

— Mon père n'est pas si facile à manœuvrer. Je suis certain qu'il va vouloir comparer les prix.

Là-dessus, je vois mes parents sortir de l'antre de Gaétan Tétreault où un pan de mur est entièrement tapissé de plaques du «meilleur vendeur». Il tapote le dos de mon père (ma mère suit, l'air résigné) et je l'entends déclarer:

— Félicitations, vous le regretterez pas!

C'est bien influençable des parents!

2 L'ACCIDENT BÊTE

Ce matin, quand le vendeur a appelé pour dire que l'auto était fin prête, ma mère a prétexté son cours de technique Nadeau pour ne pas aller au garage. Elle boude vu qu'elle aurait préféré que mon père opte pour un modèle conventionnel avec transmission automatique. L'idée de «faire des pieds et des mains» pour conduire la défrise. Mon père a eu beau lui vanter les mérites de la conduite manuelle, il ne l'a pas du tout convaincue.

Moi, par contre, je trouve ça extra! Je me vois d'ici faire des départs aussi super-soniques que sur la piste de course de Sanair où il faut avoir des tympans en acier trempé.

Pour l'instant, c'est moi qui ai accompagné mon père et je me contente de l'attendre dans l'entrée du garage à côté de la «belle bête» qui semble piaffer d'impatience.

À travers la vitrine, je vois mon père expédier les dernières formalités. Il pète le feu. Il serre la main du vendeur-le-plus-fin-renard-en-ville, encore un peu de bla-bla promotionnel et ça y est, les clés lui sont remises! En gambadant, il me rejoint, le blouson ouvert. C'est frisquet, mais il est trop excité pour s'en soucier.

— On va voir ce qu'elle a dans le ventre! claironne-t-il en déverrouillant les portières.

On s'installe. Contact. PAN! Les six chevaux se cabrent. Il y a du fringant là-dedans! Coup d'éperon au plancher. Ça s'emballe.

CRIIIIIIII!

On part en peur. Heureusement que ma mère n'est pas venue, après tout.

Le garage étant situé en bordure de l'autoroute, on n'a pas long à faire avant de rouler sur son ruban. Ça gaze, c'est moi qui vous le dis. On est tous les deux plaqués sur nos sièges, comme dans une fusée.

— Ça déplace de l'air, hein? jubile mon père.

Satisfait, il décompresse.

— Faudrait pas tenter les radars. Maintenant on va rentrer en essayant les petits chemins.

On demeure à la campagne, enfin presque, au pied du mont Saint-Bruno, alors des petits chemins, on connaît.

On roule en papotant: élimination des Expos, début de saison de football, dernières acquisitions du Canadien. Et puis le temps se met à faire des simagrées. Des nuages gros comme des tanks nous mitraillent. Au début, on dirait que le pare-brise a une attaque de varicelle, puis ça se déchaîne comme au lave-auto.

— C'est bien notre chance, ronchonne mon père.

— Faut qu'elle soit baptisée, ta Z34, dis-je en blaguant.

Grognement.

— On va voir si elle tient bien la route quand il pleut, que je rajoute.

— Mouais...

La perspective de crotter son beau bolide n'emballe pas mon père. C'est pas un

4X4 pour s'envoyer dans les trous de boue qu'il s'est acheté.

Comme pour le calmer, la pluie diminue. Mon père règle ses essuie-glaces sur le rythme lent et c'est suffisant.

Dans des éclaboussures, on longe les bois avec leurs troncs d'arbres luisants et leurs branches à moitié dégarnies. L'automne est précoce cette année, avec ses couleurs, ses odeurs, mais aussi ses sautes d'humeur.

Comme on amorce la grande courbe près de la maison, j'aperçois une silhouette qui se déplace le long de l'accotement: un vieux bonhomme. Drôle de temps et d'endroit pour faire une promenade, me dis-je.

Mon père prend la courbe serrée; mais les feuilles mortes mêlées à la pluie rendent la chaussée si glissante qu'il a beau ralentir, le voilà qui passe tellement près du promeneur que ce dernier vacille et s'abat dans le fossé.

Papa freine, recule. Prestement, on descend et on cavale vers le fossé. Pour le malheur du vieux monsieur, la dénivellation est forte. On se précipite pour le tirer de là.

— Vous êtes blessé? questionne anxieusement mon père.

Pas de réponse.

— Sacrifice! il est sans connaissance. Vite, remontons-le!

On le hisse sur le bas-côté. Mon père lui tapote nerveusement le visage. Ouf! il revient à lui.

— Vous êtes blessé? redemande papa.

Mine égarée. Mots décousus. Plutôt mal en point, le promeneur!

— Ça va? insiste papa.

— Mmh...

Croyant entendre un «oui», mon père s'arc-boute pour l'aider à se lever. Le vieux monsieur grimace alors en se touchant un pied. Vivement, mon père remonte le bas de son pantalon et examine sa cheville.

— Une foulure, évalue-t-il en paramédic averti. On va vous soutenir jusqu'à l'auto.

Opération sauvetage. On titube jusqu'à la voiture. Je me glisse sur la banquette arrière et mon père installe «sa victime» sur le siège avant.

Sa Lumina sport est drôlement étrennée avec nos pieds souillés et nos vêtements trempés.

— On est à deux pas de chez nous; on va tout de suite vous mettre une compresse là-dessus, déclare mon père.

— Mmh... fait l'autre.

On repart avec notre ahuri.

Ma mère est de retour car il y a de la lumière dans la cuisine et puis la Volvo de la voisine, avec qui elle suit sa technique Nadeau, est dans l'entrée.

Papa coupe le moteur. Comme deux soigneurs escortant un footballeur amoché jusqu'au banc, on remonte mollo l'allée de ciment en écrabouillant au passage la haie de cèdres.

— Ginette! appelle mon père en poussant la porte.

Ma mère s'amène, la cafetière à la main et notre chatte Sardine entre les jambes.

— Pour l'amour, qu'est-ce qui vous est arrivé?

— Rien de grave, assure papa. Une petite glissade dans le fossé. Peux-tu apporter une compresse?

Mon père dépose le septuagénaire dégoulinant sur une chaise, juste en face de la voisine qui sirotait tranquillement son café-saccharine-cancan. Il entreprend aussitôt de déchausser le pied enflé. Je note alors que le vieil homme porte un soulier fin. D'ailleurs, en y regardant bien, ses vêtements, même maculés, sont de qualité. Un costume sur mesure, ce n'est assurément pas la tenue de quelqu'un qui sillonne le bord des routes en quête de bouteilles vides!

— Je vous ai fait une sacrée frousse. Je m'excuse, j'allais un peu vite, admet mon père.

— Oh, j'ai eu plus de peur que de mal, dit enfin le monsieur en faisant une phrase complète.

Ma mère revient avec la compresse que mon père applique sur la cheville de l'éclopé.

— Ça va déjà mieux, affirme ce dernier.

— On va prendre un bon café et puis je vous reconduirai chez vous, décide papa.

— C'est vraiment pas nécessaire.

— Pas question de vous laisser repartir comme ça.

— Si vous y tenez...

— Vous demeurez pas loin d'ici, je suppose?

Le rescapé ouvre la bouche pour répondre, mais motus, aucun son n'en sort. Il avale sa salive et bredouille:

— Je suppose...

Là, mon père regarde ma mère, laquelle regarde la voisine qui me regarde à son tour. Sardine miaule un brin, vu que personne ne l'a regardée.

Mon père ébauche un petit sourire.

— Vous êtes monsieur...? amorce-t-il prudemment.

19

PRISE 2, ACTION:

Mathusalem ouvre la bouche et de nouveau seul un courant d'air s'en échappe.

Ses yeux gris (tiens, les mêmes que ceux de grand-père...) s'agitent de gauche à droite comme s'il lisait sa réplique sur un carton. Mais on n'est pas dans un studio de télé, alors le vieux monsieur hausse les épaules en soupirant.

— Un blanc, ça peut arriver à tout le monde, non?

COUPEZ.

3 ÉVARISTE II

Un silence épais comme du pouding au riz tombe sur la cuisine.

C'est notre coucou au-dessus du vaisselier qui le brise en s'éjectant de sa cabane pour turluter quatre heures, laissant Sardine vaguement pensive sur son arrière-train. Ça fait un mois qu'elle mijote de lui bondir dans les plumes dès qu'elle aura mis bas. Pour l'heure, elle trimbale une première portée qui lui met le ventre à terre et les moustaches à l'équerre. La grâce et l'agilité félines,

21

finies! Les grimpettes dans les arbres et les vadrouilles dans les champs, suspendues! Elle en est à visiter les garde-robes pour accoucher de sa progéniture. L'instinct. Mais à l'avenir, les matous, elle les aura dans son collimateur avec leurs feulements de tigre et leurs cadeaux de mulots sous le perron. La litière, c'est encore le meilleur endroit pour poser son derrière. Parole de chatte échaudée.

— Je pense que la dégringolade dans le fossé m'a un peu brouillé les idées, reprend le vieux monsieur.

— Ça doit être ça, confirme mon père. On va prendre un petit café bien tranquillement et tout va vous revenir.

— Je vais aller chercher des biscuits, annonce ma mère en poussant mon père du coude.

Et ils s'évanouissent tous deux dans le corridor comme dans le téléporteur d'un vaisseau spatial.

La voisine se trémousse sur sa chaise, ce qui provoque un cliquetis, vu qu'elle porte approximativement deux kilos de bijoux. Avec parcimonie, elle tète son café en reluquant le vieux monsieur par-dessus les quinze breloques de son bracelet.

Celui-ci gratte la petite clairière au sommet de sa tête. Puis il lorgne à travers la fenêtre de la cuisine et se tourne vers moi.

— Toi, mon garçon, tu te souviens de ton nom, au moins?

— Jean.

— Et bien, ti-Jean, qu'il fait en boitillant jusqu'à la fenêtre, je m'appelle peut-être pas Robin des Bois, mais je peux te dire une chose: ce bel érable-là devant la maison, il a ton âge!

— Tout juste! Grand-père l'a planté le jour de ma naissance!

Le vieux devin se tape la cuisse et plisse les yeux.

— J'en étais sûr, les arbres ne peuvent rien me cacher!

— Grand-père aussi parlait aux arbres et lui aussi m'appelait ti-Jean. Vous me faites penser à lui.

— Vrai?

— Il s'appelait Évariste. Évariste Laplante. Un nom qui sonne moins bien que Tom Cruise, dis-je en rigolant, mais un nom original qui allait à grand-père comme un gant.

Je considère un instant le vieux monsieur sans ciller.

— Si vous voulez, je peux vous prêter son nom le temps que vous retrouviez le vôtre.

Les yeux du vieil homme dansent.

— Ce sera un honneur, ti-Jean!

On se donne la main et c'est à ce moment que mon père revient avec des biscuits feuille d'érable, tandis que ma mère porte un pot de lait.

Pas besoin d'avoir un quotient intellectuel phénoménal pour deviner qu'ils viennent de discuter du cas de notre invité forcé. Les biscuits, plutôt mince comme prétexte!

Mon père se racle la gorge.

— On va prendre une collation puis on ira à l'hôpital pour votre foulure. Vaut mieux prévenir.

Évariste replisse les yeux.

— Ce sera pas nécessaire.

— Ce serait prudent, décrète ma mère, approuvée par la voisine (et les deux perroquets qui pendent aux lobes des oreilles de celle-ci).

Mais celui que cela concerne s'entête.

— L'hôpital, c'est pas pour moi. Je vais prendre votre café et après, mon chemin.

— Sans savoir où vous allez? s'insurge ma mère.

— Ça me reviendra.

— Pas question de vous laisser partir à l'aveuglette, objecte mon père.

J'interviens:

— Évariste pourrait rester ici jusqu'à demain matin. Il serait reposé et se souviendrait de tout.

Mon père et ma mère sursautent.

— Je lui ai prêté le nom de grand-père. En attendant...

— Ben voyons, tempère mon père, soyez raisonnable. À l'hôpital, ils vont vous aider.

Cette fois, Évariste se hérisse.

— Pas question d'aller à d'hôpital!

— Vous pouvez pas rester comme ça! se désespère ma mère.

La voisine suit la discussion comme un match de ping-pong. Ses perroquets en font des tours complets sur leur perchoir.

— La chambre de grand-père est vide en bas. Il pourrait s'y installer, dis-je en insistant.

— Je veux déranger personne, fait fièrement le vieux monsieur.

Mon père finit par céder.

— Vous dérangerez pas. Après tout, c'est à cause de moi que tout ça est arrivé. Jean a raison. Je serai moins inquiet si vous restez, et puis, après une bonne nuit, vous y verrez sans doute plus clair.

J'exulte:

— Ça tombe bien, on mange du poisson ce soir! Paraît que c'est super pour la mémoire!

4 LE SORT D'ÉVARISTE

Il a venté toute la nuit, même qu'à tout bout de champ les branches les plus hautes de l'érable, devant la maison, ont frappé ma fenêtre au deuxième.

Comme d'habitude, pour chasser ma peur et mon insomnie, j'ai joué à décoder des messages en morse que grand-père, s'il était là, m'enverrait à travers son arbre.

Recroquevillé sous mes draps, j'ai déchiffré: «Salut ti-Jean! Aie pas peur, c'est moi. Tu sais bien que j'aime gratter à ta fenêtre de temps en temps, question de me rappeler à ton bon souvenir. On s'entendait si bien tous les deux.

«T'as bien fait d'insister pour héberger le vieux bonhomme. Tu trouves qu'il me ressemble? En tout cas, il a l'air plein de bon sens, même s'il est un peu perdu. Tu devrais l'aider, des fois qu'en lui réapprenant des choses tu en apprendrais toi aussi. La vie est pleine de surprises, ti-Jean, pis la vie après la vie, j'te dis pas, c'est pas croyable!

«Bon, le vent tombe. Je vais retourner à mes étoiles. Je reviendrai, c'est promis. Dors bien, mon gars.»

J'ai suivi le conseil de grand-père, puisque maintenant, comme j'ouvre un œil, il fait grand jour dans ma chambre. Même qu'un rayon de soleil frappe pile sur mon poster de Patrick Roy qui n'a pas le temps de le bloquer dans ses filets.

En bâillant comme un lion écrasé par ses dures responsabilités de roi de la jungle, j'étire mon beau corps d'ado en pleine croissance vers les quatre points cardinaux.

OOOOH-Hâââââââââ!... Ça fait du bien d'être en vie, comme disait Frankenstein après sa grande opération.

En prêtant l'oreille, j'entends des grattements dehors. Je me lève pour voir à la fenêtre et là je reste figé. Évariste est en train de ratisser des feuilles. Le grand vent de la nuit les a séchées et il les met en tas.

Ce qui me secoue, c'est qu'il a sur la tête la casquette à carreaux rouge et noir qu'avait coutume de porter grand-père. Pendant un instant, du haut de ma fenêtre, en voyant la casquette se déplacer d'un bord à l'autre de la pelouse, j'ai cru avoir une hallucination. Décidément, ce vieux bonhomme me rappelle de plus en plus grand-père, mais ça ne m'attriste pas.

— MIAOOW...! m'apostrophe Sardine en entrant dans ma chambre et en sautant lourdement sur mon lit.

Dans son état, je ne l'inscrirai pas aux Olympiques pour chats. Sa panse balaie le plancher. Elle ne sort presque plus parce qu'elle revenait avec des collections d'orties. Debout sur ma douillette, elle s'étire, puis arque son dos, ce qui n'est pas facile dans sa condition. Je sais ce qu'elle attend de moi et je la flatte doucement en remontant jusqu'au bout de sa queue. Ses ronrons m'en disent long sur son degré de satisfaction.

Ensuite, j'enfile un jean et un coton ouaté. C'est rare que j'aie des bouffées de serviabilité, mais ce matin, je ne sais pas si c'est la couleur du paysage ou l'odeur de l'été des Indiens, mais j'ai envie d'aller donner un coup de pouce à Évariste.

Je fais un saut à la salle de bains, puis je m'apprête à débouler l'escalier, lorsque j'entends mes parents converser dans la cuisine. Eux aussi observent Évariste à travers les rideaux.

— C'est vrai qu'il a quelque chose de p'pa, dit mon père avec un brin d'émotion dans la voix.

— Évidemment, avec la casquette... remarque ma mère. Peut-être qu'il souffre d'Alzeihmer, le pauvre homme. On devrait appeler la police.

— Il fait de mal à personne, plaide mon père.

— C'est pas ce que je dis; il a peut-être une femme et des enfants qui s'inquiètent. Tiens, tu devrais appeler pendant qu'il est dehors.

— Je ferai un saut au poste de police. Je saurai bien s'il y a un avis de recherche.

— Si c'est pas le cas, il pourra rester? que je mendie en apparaissant dans le cadre de la porte.

Mes parents n'ont pas le temps de répondre car Évariste surgit à son tour dans l'entrée en tapant ses pieds sur le paillasson et en nous lançant un joyeux bonjour.

— Il fait beau en vlimeux! Je me suis réveillé tôt, alors je suis sorti. J'ai vu un râteau contre la maison et, dans le garage, une casquette accrochée à un clou. Je me suis permis de l'emprunter. J'aime autant avoir quelque chose sur le coco pour travailler dehors.

— Mon père aussi avait les sinus fragiles, reprend papa. D'ailleurs, c'est sa casquette...

— Oh! pardon.

— Vous avez bien fait de la prendre.

Ma mère s'avance.

— Vous avez l'air mieux, ce matin.

— Aussi bien qu'hier, chère dame! clame Évariste.

— Vous vous souvenez de votre nom maintenant? que je lui balance carrément.

En un geste qui était bien familier à grand-père, Évariste soulève la visière de sa casquette pour se gratter le haut du front.

— C'est justement ce à quoi je pensais tout à l'heure en passant le râteau. Mais rien m'est venu. Les limbes, mon gars. Je suis comme un nouveau-né.

— C'est pas grave, vous avez le nom de grand-père pour vous dépanner.

Le vieux me sourit.

— Et je suis bien fier que tu me l'aies passé, fiston! Mais je vous ai assez dérangés; je vais partir ce matin.

— Soyez raisonnable, intervient mon père. Vous ne pouvez pas vous en aller dans la nature comme ça.

— Ce ne sera pas la première fois qu'un homme cherche son chemin, philosophe Évariste, le regard lointain.

Je ne sais pas si c'est ce ton à la Victor-Lévy Beaulieu qui touche ma mère (c'est son auteur préféré), mais cette fois, c'est elle qui fléchit.

— Allons donc, vaut mieux prendre le temps qu'il faut pour vous remettre.

Évariste médite un brin, puis reprend:

— Si je reste, faut que je me rende utile. J'ai vu que votre haie de cèdres est pas mal échevelée en avant. Faudrait la tailler avant les froids.

Ma mère décoche un œil chargé de reproches à mon père qui s'était engagé à l'élaguer depuis deux semaines.

— Je vais la couper, enchaîne Évariste de bonne foi. J'aurais juste besoin d'autres vêtements...

— J'ai encore du linge de mon beau-père. Vous avez la même taille, souligne ma mère.

Évariste s'enhardit.

— J'ai aussi remarqué un échafaudage sur le bord de la maison, avec un début de cheminée en pierres.

Nouveau froncement courroucé de ma mère à l'endroit de mon père qui avait commencé ce travail et l'avait laissé en plan.

— Je m'y connais, poursuit Évariste. Je vais finir de vous la monter en un rien de temps, pis ça va être de l'ouvrage bien fait!

— Si ça continue, plaisante mon père, je vais penser que vous êtes le père Noël en personne venu finir sa cheminée pour le 25 décembre.

— HO! HO! HO! ponctue ma mère, lapidaire.

5 HISTOIRES D'ARBRES

Croyez-le ou non, ça fait trois semaines qu'Évariste est à la maison. Il se rend utile à tant de choses qu'on ne saurait plus s'en passer. Ma mère, couturière invétérée, s'en sert même comme mannequin!

L'autre jour, en revenant de l'école, qu'est-ce que je vois? Le pauvre Évariste était juché sur la table de cuisine, les jambes nues, avec une robe à volants serrée si fort à la taille qu'il en était rouge comme une écrevisse. Une série d'aiguilles entre les lè-

35

vres, ma mère le priait de ne pas bouger pendant qu'elle le dardait comme une poupée vaudou. C'est pas mon père qui se serait laissé faire. Quant à moi, ma mère me trouve trop fou-fou pour ses essayages. Parfait, parfait.

Évariste ne se souvient toujours pas de son nom mais, après vérification au poste de police, on sait qu'il n'est nullement recherché. Joue-t-il la comédie? Est-ce un pauvre vieux qui retarde le moment de rentrer seul chez lui? Il a l'air trop honnête pour ça. Et puis il se montre si serviable, si amical, qu'on ne peut s'empêcher de lui accorder le bénéfice du doute. Ma mère s'est documentée sur l'amnésie et, d'après elle, l'état d'Évariste est passager. Il suffit de patienter. Après tout, il fonctionne normalement sur tous les autres plans et pour ne rien vous cacher, le fait qu'il ressemble à grand-père nous le rend chaque jour plus attachant. Bref, on laisse flotter les rubans...

Hier, dans l'autobus scolaire, j'ai parlé d'Évariste à Marie-Andrée Gladu. Elle n'en revenait pas. Eh bien, elle va en revenir aujourd'hui vu qu'elle s'en vient chez moi pour faire son devoir de maths.

C'est samedi et il fait un temps à tout casser. L'été des Indiens à son meilleur. Au milieu de la cour, un tas de feuilles fument embaumant l'air. Debout sur le patio, je m'en gonfle les éponges en écoutant le pépiement des oiseaux. Mon dada, les oiseaux, comme Évariste, les arbres. Il y a de l'ornithologue en moi. Pas pour rien que grand-père et moi on se complétait.

Tout à ma délectation, je me dis que ça va être dur de se concentrer sur des équations tout à l'heure.

Difficile de s'en sortir. Quand il pleut, on dit que c'est un temps pour dormir et quand il fait soleil, on se lamente parce qu'il fait trop beau pour travailler! Fichu dilemme.

Au bord du bois, Évariste retourne la terre de notre jardin. À tout moment, il s'arrête pour écouter un pivert ou admirer un vol d'outardes. Je m'apprête à l'aider (je suis toujours plein de bonnes intentions), quand j'entends une portière claquer devant la maison. Je contourne le patio. Marie-Andrée Gladu saute de l'auto de son père, un cartable sous le bras.

— Travaillez pas trop fort, il fait tellement beau! lance son père à travers la portière.

Qu'est-ce que je vous disais?

Je pointe du doigt ma chatte à Marie-Andrée.

— C'est vrai qu'on aurait plutôt envie de se prélasser comme elle sur le perron.

— La chanceuse! se pâme ma visiteuse en l'apercevant.

Je propose:

— Après tout, pas besoin de s'encabaner. Allons faire la révision sur la balançoire.

— Bonne idée!

Je l'entraîne là où Évariste s'affaire en sifflotant.

— C'est lui? interroge-t-elle en sourdine.

J'acquiesce.

Ses yeux fauves aux cils soyeux l'observent de biais.

— C'est drôle, on dirait qu'il parle tout seul...

Je souris.

— Évariste parle aux arbres. Comme mon grand-père.

Elle pouffe.

— Vous êtes «spéciaux» dans la famille.

— J'te dis qu'il parle aux arbres. Attends, je vais le faire venir.

On s'assoit sur la balançoire. Comme s'il me devinait, Évariste s'approche.

— C'est pas un temps pour étudier, les jeunes! (Encore un!) Vous devriez aller vous promener dans le bois, à la place.

— C'est vrai que les arbres sont beaux, énonce Marie-Andrée.

— C'est pour ça qu'il faut en profiter. Les sentiers sont secs. Vous devriez aller écrire vos noms sur un bel arbre.

— Ce serait pas écologique, réplique Marie-Andrée.

— C'est pas un petit mot d'amour qui fera mourir un arbre, croyez-moi.

— Vous paraissez bien connaître les arbres, hasarde ma questionneuse-pas-lâcheuse.

Évariste émet un petit ricanement, le menton sur sa pioche.

— Mets-en! comme vous dites, vous autres, les jeunes. J'en ai déjà été un!

Marie-Andrée écarquille les yeux et là, pas besoin de finasser, Évariste est lancé.

— Riez pas, c'est super d'être un arbre. On peut s'ébouriffer aux quatre vents, renifler l'air pur, taquiner les oiseaux, parler aux nuages. Les pieds dans la terre et la tête dans le ciel, y a pas plus branché!

«Les arbres sont nés petits comme nous, vous savez. Ils prennent des années avant d'atteindre leur maturité; ils respirent, ils sont fragiles et un jour ou l'autre, ils mourront comme nous. Bref, ils ont une vie!

«Tiens, quand j'étais un peuplier, je passais mon temps à balancer ma cime. Toujours le faîte en fête! Parlant de fête, l'Halloween m'enchantait. Le soir, j'accrochais des lambeaux de brume à mes tiges les plus basses et les plus crochues et je chatouillais la caboche des passants. Je vous dis que j'en ai fait courir des petits fantômes sous leur drap blanc! Sans parler des sorcières en herbe qui pédalaient sur leur balai!»

Marie-Andrée glousse.

Évariste s'ambitionne.

— Quand j'étais un chêne, grand et fort, de petites pattes d'écureuil sur mes bras suffisaient à me donner la chair de poule; c'était pareil lorsque des hirondelles planaient pour piquer brusquement dans ma ramure, toujours dans le mille!

«Quand j'étais un noyer calleux et noueux ancré à flanc de colline, un pin trapu et une épinette rabougrie me tenaient compagnie. Toujours pris aux cheveux, les deux résineux. Fourchus et ombrageux à souhait, mais plutôt drôles par temps frais. «On n'est pas les «palmiers» venus!» se gondolaient-ils, les rameaux en éventail et les pignes en cocottes. C'est simple, mes noix en roulaient sur la paillasse d'aiguilles, à nos pieds. Au fond de la vallée, la rivière serpentait, pas pressée.

«Quand j'étais un bouleau sur le bord d'un lac, j'aimais me mirer dans l'eau, tremper quelques feuilles quand il faisait chaud en regardant les éphémères effleurer la surface. À l'occasion, un pêcheur s'adossait contre moi pour dormir au son des clapotis sur les berges moussues, sa ligne tendue. C'était le bonheur.»

Poétique, l'Évariste. Et fin conteur. Installés sur la balançoire, engourdis par le fumet de feuilles et le soleil voluptueux, on se laisse bercer comme des enfants écoutant une histoire avant le coucher.

— Quand j'étais un orme, je jouais au parasol au milieu des prés, j'écoutais les vaches jaser entre elles, loin des hommes, dans le zonzon des mouches. Au cœur de la campagne, j'étais leur protecteur, leur gardien, comme les clochers au-dessus des villages environnants.

«Quand j'étais un tilleul, je prenais plaisir à encenser l'air de mes fleurs. Je m'élevais, solitaire dans la nature, fier d'être un de ses joyaux, comme un brin d'herbe au pied d'un gigantesque baobab.

«Quand j'étais un hêtre bien droit, bien lisse, planté dans le béton de la ville avec mes moignons, c'est pas les ours qui laissaient des sillons sur ma chair claire, mais plutôt des sacripants qui traçaient de drôles de graffiti sur ma peau, des tatouages qui me donnaient, comme à eux, des airs de rocker avec leurs chaînes de vélo.»

Marie-Andrée s'amuse ferme. Les maths sont loin. On est en plein cours de botanique, fantastique! La sève d'Évariste ne tarit pas.

— Quand j'étais un érable puissant et majestueux, paré des mille feux d'octobre, je disais: «Voyez comme l'automne est beau. Il est le couronnement de l'été. Il prépare au repos bien mérité, avant l'éternel recommencement.»

«Quand j'étais un sapin au cœur des étendues blanches, j'abritais des tourterelles sous mes ailes et secouais mes cônes enneigés comme des grelots dans le froid. L'espace d'une saison, j'étais le roi.»

— Spécimen! Spécimen, espèce de chien fou! Reviens tout de suite! Entends-tu, Spécimen? Tu vas te faire écraser!

Les cris hystériques de la voisine d'en face stoppent net l'envolée lyrique de notre Rimbaud de l'arboriculture.

On tourne tous la tête pour apercevoir Spécimen, le chien de la voisine, un croisement de basset et de chihuahua, traverser la rue, les oreilles au vent, vers Sardine. Alors qu'il est sur le point de toucher la cible, Spécimen, en chien débile, pousse des jappements qui alertent Sardine, laquelle se gonfle aussitôt comme un porc-épic en émettant de puissants «SSSSCHRRICHH...!».

Aussi sec, Spécimen effectue un virage à 90 degrés, se rabattant droit sur Évariste. Dès qu'il atteint ce dernier, il lève sa patte de chien bêta et urine copieusement sur sa jambe de pantalon.

C'est alors qu'un doute m'assaille soudain: ÉVARISTE A-T-IL DÉJÀ ÉTÉ UN ARBRE?

6 LA FORÊT NOIRE

Un malheur n'arrivant jamais seul, voilà que l'on voit la voisine, Mme Lafleur, traverser la rue à son tour, agitée comme une sauterelle traquée par une tondeuse. Elle rapplique en haletant autant que son toutou qui tourne autour de la balançoire en aboyant sans arrêt comme s'il fonctionnait aux piles Duracell.

Mme Lafleur entreprend de lui courir après, ce qui vaut n'importe quel vaudeville. Jugez vous-même: vêtue d'une combinaison

45

bouffante pistache, elle arbore, aux oreilles, des anneaux de gymnase, au chignon, des barrettes LG-2, au cou, un collier si long qu'elle pourrait danser à la corde tout en pourchassant son roquet, à la cheville une chaîne d'attelage ouvragée, et aux pieds, des babouches garnies de fleurs en plastique aux énormes pétales roses et bleus.

Du grand guignol, de la tarte à la crème, du croque-en-jambe préparé d'avance. À côté d'elle, Francine Grimaldi a l'air de s'habiller chez les sœurs grises.

Et c'est le manège autour de la balançoire au son des «Ouah! Ouah!» du faux chihuahua et des «Clap! Clap!» des babouches. Arrive ce qui doit arriver, le clou du numéro: madame Lafleur se prend les pieds dans un poteau de la balançoire et s'affale avec un bruit de baudruche crevée.

Spécimen, fortement ébranlé, s'affole davantage craignant la colère de sa maîtresse et déguerpit à toutes pattes dans le bois. Madame Lafleur a beau le héler, Spécimen s'engouffre de plus en plus profondément dans la montagne.

— Mais il va se perdre! gémit-elle.

Je saute de la balançoire en Batman de la SPCA.

— J'vais vous le ramener!

— J'vais avec toi, réagit Marie-Andrée.

Et on s'enfonce tous deux dans le boisé, appelant fortement Spécimen dont les jappements s'entendent désormais à peine.

Naturellement ce fichu-faux-chien-saucisse n'emprunte pas les sentiers. Museau bas, il fonce tout droit. On ne peut que l'imiter, égratignés par les branches, et butant sur des roches et des racines traîtresses.

On en a vite assez et on ralentit en se disant que le cabot finira inévitablement par modérer son allure. Ce faisant, on réalise qu'on est super bien sous la futaie. Il y fait tiède et ça sent bon, avec des infiltrations de soleil partout, des couleurs luxuriantes, des bruits ténus: une feuille qui tournoie, un suisse qui déménage, un oiseau qui froufroute. C'est la dose massive d'apothéose. D'un coup, je suis enivré, la tête me tourne et comme je saisis Marie-Andrée par une épaule pour ne pas chavirer, je tombe sur sa bouche pulpeuse.

Marie-Andrée s'appuie contre un arbre et c'est l'embrassade vertigineuse comme une descente en bobsleigh.

— Évariste avait raison, on est mieux dans le bois, dis-je dans un murmure en quittant ses lèvres.

Tu sais quoi? Marie-Andrée me tire la crinière et recolle sa bouche sur la mienne comme un plongeur qui récupère sa bouteille d'oxygène *in extremis*. J'en perds le souffle, mais je puise dans mes réserves sans *barguigner*, tu penses bien.

On vit un moment unique, au milieu d'un décor paradisiaque, dans une conjoncture planétaire multidimentionnelle aux concordances astrales exceptionnelles sur écran universel. Autrement dit, ce baiser n'est pas un simple mimi mouillé échangé à un arrêt d'autobus.

Il me semble que je deviens comme Évariste: je sens la complicité des arbres qui font osciller leurs pics dans l'azur et agitent leur frondaison comme des palmes pour adoucir la température (sûrement un vers d'Émile Nelligan qui me revient...).

Nos étreintes terminées, nous nous regardons longuement, front contre front. Puis le fou rire nous prend.

— On ferait pas fortune à travailler pour une fourrière, juge Marie-Andrée. Le chien de ta voisine doit être loin.

— Nous, par contre, on est très près.

Papillotage énamouré.

— On marche un peu? roucoule Marie-Andrée. C'est si beau.

Et on part comme deux Alice au pays des merveilles, foulant un tapis moelleux de feuilles ocre et vermeilles, emplissant nos petits poumons roses de grandiose et nos yeux amoureux de lumineux.

Plus «poétal», hein.

On se promène longtemps comme ça, dans un état second. On caracole tendrement en se pressant les mains. On parle de tout et de rien. On s'arrête devant un étang où un héron prend des poses. On marche et on marche, jusqu'à ce que, peu à peu, le ciel se voile.

Je grimpe alors sur une grosse roche et scrute attentivement l'horizon. Point de Spécimen.

— Il nous a semés, conclus-je. De toute façon, il rentrera tout seul. Le mont Saint-Bruno, c'est pas la brousse.

Je saute et, là, j'ai un regard circulaire sur le bois qui nous cerne et qui s'assombrit de minute en minute. L'automne, la pénombre gagne du terrain aussi vite qu'une marée. Je me rends compte qu'on s'est sérieusement éloignés et qu'on est maintenant hors des sentiers. Je ne possède déjà pas un grand sens de l'orientation et comme je n'ai pas pris la précaution d'établir des repères, je me retrouve Gros-Jean comme devant, aussi déboussolé qu'à colin-maillard. Ça me dépite un brin quand je songe que Marie-Andrée doit être persuadée que je connais le bois comme ma poche.

Mais pas d'affolement, peut-être qu'elle, elle sait. En la laissant galamment prendre les devants, je déclare:

— Revenons sur nos pas.

Mais elle ne bouge pas d'un poil.

— Hum! D'après toi, on est mieux de prendre quelle direction pour gagner du temps? dis-je négligemment.

— Oh, moi, ça m'arrive de me perdre dans les centres d'achat!

Elle rigole, mais moi, je flageole. Je sens que le bois, maintenant sombre et frisquet, se resserre autour de nous. On est entre chien et loup, et à mon avis, beaucoup plus près du loup. Des craquements se font entendre et curieusement, ils ne sont pas aussi agréables que ceux du jour. À vrai dire, le bois n'est plus le bois, mais la FORÊT! Une forêt profonde, mystérieuse, troublante.

— Tu te souviens d'Hansel et Gretel? dis-je à mi-voix.

— Si je m'en souviens! affirme l'insouciante. J'ai été complètement traumatisée par ce conte-là quand j'étais petite. Il m'en a donné des cauchemars! J'en frissonne encore!

Je fais une pause et balbutie:

— Ça te dirait une petite thérapie...?

7 CAMPING SAUVAGE

Ça prend une couple de minutes à Marie-Andrée pour piger, mais quand elle y arrive, c'est pas beau à voir. Elle prend instantanément la mine d'une naufragée du Titanic. La thérapie par régression (dite du «conte» à rebours) la prend de court. Bien sûr, j'aurais pu jouer au chef scout et faire semblant de la guider à tâtons, mais quand elle s'en serait aperçue, j'aurais eu l'air encore plus stupide. Tandis que maintenant, je fais dur tout de suite. Pourquoi remettre à demain ce qu'on peut faire plus tard, hein? Question de principe.

— Tu veux dire qu'on est perdus? dit Gretel II avec émoi.

— Vaguement... fais-je en bredouillant.

Elle suffoque:

— Comment ça, vaguement? Tu m'as entraînée dans le bois sans savoir où tu allais!

— On doit pas être bien loin.

— Mais t'as aucune idée de l'endroit où on est? On peut piétiner pendant des heures, tourner en rond pendant des jours, c'est ça?

— Ben voyons, le mont Saint-Bruno, c'est pas les plateaux du Tibet. On ne peut pas y rencontrer l'abominable homme des neiges quand même!

— Tu te crois drôle, Jean Laplante? On va peut-être mourir de faim et de froid, pis toi, tu fais des farces?

Sa voix se casse. Elle est sur le point de brailler. J'en ferais presque autant si je ne me retenais pas. Dur, dur d'être un gars. C'est que, voyez-vous, un petit brouillard descend sur nous comme une espèce de vapeur de cimetière. J'en ai le gosier qui rétrécit, alors je me dépêche d'ajouter:

— Prenons une direction et marchons, au moins ça nous tiendra chaud. On arrivera fatalement quelque part. Allons par là.

Marie-Andrée m'emboîte le pas et on chemine dans les bruissements, les frôlements et les hululements de hiboux pas chouettes du tout.

Je n'ai pas mis ma montre phosphorescente et celle qu'a Marie-Andrée à son mignon poignet ne l'est pas, alors impossible de savoir l'heure. Notre égarement n'en est que plus angoissant.

J'ai beau raisonner et me dire que ce n'est pas grave, la perspective de passer la nuit dans le froid et le noir n'est pas rassurante. À l'aube, on sera davantage en mesure de se retrouver, mais d'ici là on a le temps d'en imaginer des choses.

— Il y a des ours? se tracasse tout à coup Marie-Andrée qui me talonne (jamais une fille ne m'aura autant collé).

— Des chevreuils, des renards.

— Des chats sauvages, peut-être!

— Des marmottes! dis-je pour dédramatiser.

À ce moment-là, j'éternue si fort que je manque de perdre mon précieux cerveau dans une fougère. Heureusement, je le récupère sur-le-champ: «SHNIKFF!» D'un coup sec, le brouillard s'est tellement intensifié qu'on n'y voit plus à un mètre devant soi.

Par bonheur, juste à temps, je détecte un arbre en creux. Marie-Andrée et moi, on s'adosse dans son renforcement, transis jusqu'à la moelle.

Telle une colombe frileuse, Marie-Andrée coule sa tête dans mon cou. J'entoure ses épaules de mes bras et on reste là à grelotter dans l'air poisseux, les yeux bouffés par la brume pénétrante.

Marie-Andrée n'a plus le courage de m'adresser de reproches; elle plaint plutôt ses parents.

— Mon père et ma mère doivent s'inquiéter.

— Mes parents aussi. Qu'est-ce que tu veux, on les rassurera demain. En attendant, piquons un somme, dis-je en plaisantant et en frappant ma tête contre l'arbre.

Mais l'atmosphère est dense à couper au couteau et humide à développer du velcro dans les trous de nez.

Paralysés, on finit par s'engourdir dans la moiteur et l'obscurité. Derrière nous, le tronc robuste de l'arbre est rassurant. Je songe confusément à une légende dont Évariste m'a parlé: dans la forêt, l'arbre le plus vieux est considéré comme le plus sage. Il porte conseil, si vous dormez à ses pieds. Je sens les grosses racines courir sous nos membres ankylosés et j'ai l'impression d'être au creux d'une main tranquille. D'autres confidences d'Évariste me reviennent sur ses vies passées. Bientôt, je m'imagine moi-même être un pommier dans un verger. À mon côté, Marie-Andrée est un ravissant cerisier. Nos bourgeons éclatent en même temps: «Cerisiers roses et pommiers blancs...» Nos fleurs parfument l'environnement. *Ivresse* de Lise Watier? Du fromage *Oka,* à côté. On partage le soleil et les abeilles. On échange du pollen. On rêve de tuteurs penchant du même côté, de croisements alléchants: pommes au cœur saignant et cerises délicieuses.

Nos branches se frôlent, nos fruits s'effleurent. Dans la rosée du matin, on s'épanouit comme un bouquet. C'est le paradis.

Je touche du bois...

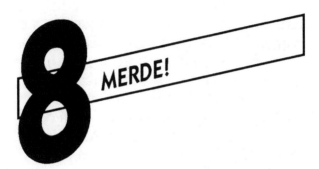

8 MERDE!

Quand j'ouvre les yeux, c'est l'aurore. Le brouillard s'est partiellement levé. Des reliefs de brume flottent, épars. Un début de gel blanchit le sol. Quelque part, deux merles se gargarisent, une alouette trompette.

Marie-Andrée et moi, on est plaqués contre l'arbre comme du lichen. Doucement, je me décolle et j'embrasse ma Belle au bois dormant qui a de petites croûtes autour des yeux; mais moi, je n'ai pas précisément l'haleine «thé des bois», non plus.

— Le jour se lève, princesse.

Elle ouvre un store, puis la bouche, et un filet de voix s'en échappe. La pauvre a attrapé une extinction de voix.

— J'ai mal partout, coasse-t-elle.

— Normal, on n'est pas habitués à dormir comme des fakirs.

On se lève péniblement; notre haleine forme un petit nuage devant nous. De nos bras, on se fouette vigoureusement le corps.

— Pas de temps à perdre, c'est ce matin qu'on se retrouve! dis-je avec détermination. Allons par là, j'ai comme une intuition.

Ma voix aussi est rauque. J'ai un début de mal de gorge prometteur. Amygdalite? Bronchite? Laryngite? En tout cas, un *hit!*

J'entraîne Marie-Andrée vers une pente. On chemine environ trois quarts d'heure sur des brindilles cassantes, puis j'avise ce qui me paraît être un toit entre des branches. Je prends Marie-Andrée par la main et on se précipite, encouragés. Plus on avance, plus le bois est ajouré, défriché. La perspective d'un déjeuner bien chaud nous stimule. Les yeux rivés sur le toit de bardeaux, nos courbatures s'envolent; on vole!

Tout à coup, ZOUP! La dérobade, on tombe abruptement, on chute sans parachute, tête première, pour s'écrouler mollement: le fond est, par chance, vaseux.

On relève nos bouilles barbouillées, les mains plantées dans le ragoût et c'est alors que l'odeur infecte nous révèle l'endroit où nous sommes.

— La fosse septique des voisins! dis-je en hurlant.

Les Lafleur en ont récemment parlé à mon père. Ils sont en train d'élargir leur fosse et vu qu'elle se situe loin derrière leur propriété, ils n'ont pas pris la peine de la clôturer. Résultat: on est dans la merde jusqu'au cou!

C'est bien simple, on capote. La mélasse me monte au nez quand je pense que le roquet de la voisine est responsable de toutes nos tuiles. J'enrage. Merde et remerde!

Comme deux lionceaux piégés pour le zoo, on regarde bêtement en l'air. Impossible de sortir. Le trou est profond et les parois glaiseuses, tapissées de vers gras. Des bouts d'excréments flottent à nos petons. Si on n'était pas à jeun, on en rajouterait!

On appelle à l'aide, mais nos voix sont fluettes. Et puis on s'enfonce. Nos espadrilles calent misérablement. Marie-Andrée est prise de démangeaisons à une cheville. Elle roule le bas de son jean et pousse un cri: sa peau est toute boursouflée et violacée; on dirait celle d'un forçat enchaîné.

— De l'herbe à puce, geint-elle. J'ai touché de l'herbe à puce!

N'en jetez plus, la fosse est pleine!

Je pousserais bien un soupir, mais il faudrait que je prenne une grande inspiration et la puanteur ambiante m'en empêche. Je me contente de chialer.

— Quand je pense à ce sacré chien qui nous a mis dans ce pétrin! La prochaine fois que je le trouve sur mon chemin, j'en fais de la chair à saucisse!

Et juste comme je jure, j'entends les jappements de Spécimen, suivis d'intonations qui me sont familières: celles d'Évariste.

— Ti-Jean? appelle-t-il.

Je mobilise les énergies de mes cordes vocales et m'égosille:

— Ici, dans la fosse!

La bonne tête d'Évariste ne tarde pas à se pencher au-dessus de nous.

— Mes pauvres enfants! Je vais vous sortir de là. Attendez.

Et comment qu'on l'attend!

Il revient avec la perche télescopique non remisée de la piscine des Lafleur et nous la tend. Marie-Andrée s'y agrippe. Je m'empresse de pousser ses foufounes et Évariste la hisse. À mon tour, je m'active pour sortir de la tranchée.

Enfin sortis du bois, sortis du trou! On essuie nos pieds pesants dans l'herbe. Spécimen patrouille autour de nous, le fatigant! Une vraie mouche à merde. Heureusement pour lui, mon humeur s'est tempérée depuis notre extraction des égouts.

— Je savais que vous viendriez de ce côté, assure Évariste. Et je parie que vous avez passé la nuit près d'un gros frêne. J'ai mes «contacts».

Après *L'homme qui plantait des arbres*, voici *L'homme qui parlait aux arbres!*

— Je vous savais en sécurité, poursuit notre sauveteur-interprète. Et puis le brouillard était trop dense pour vous chercher. Sans compter qu'on savait pas trop: ça pouvait être une escapade, votre affaire. En tout cas, je savais où vous chercher ce matin. Dommage que je ne sois pas arrivé à temps pour vous éviter de tomber dans ce bourbier!

— L'essentiel, c'est qu'on en soit sortis. Fini le cauchemar! que je proclame.

Évariste détourne les yeux et je ne sais pas pourquoi, à cet instant, je pressens d'autres sacs de nœuds.

— Venez vous changer, vous allez attraper votre coup de mort. Ta mère a grand besoin d'être rassurée, Jean, déclare-t-il en me précédant hâtivement.

Il me met la puce à l'oreille, mais je veux bien mariner encore un peu, du moment que ce n'est pas dans la fosse d'aisances des voisins.

9 ÉCLIPSE PARTIELLE

Devant chez moi, je note tout de suite quelque chose qui cloche. Bien sûr, notre disparition a pu susciter un branle-bas, ce qui explique les voitures garées à la file: une auto de police (qui s'en va), celle des parents de Marie-Andrée, celle d'oncle Paul et de tante Louise. Mais curieusement celle de papa n'est pas là.

Comme nous approchons, monsieur Gladu et oncle Paul contournent la maison.

63

— V'là nos rescapés! signale oncle Paul. Vous aviez raison en prétendant qu'ils viendraient de ce côté-là, concède-t-il à l'endroit d'Évariste.

Madame Gladu et tante Louise, qui guettaient par la fenêtre, sortent sur le perron. Aussitôt, Marie-Andrée est entourée par ses parents. En quelques phrases, elle leur narre nos déboires avec preuve à l'appui: nos nippes malodorantes et sa cheville infectée.

Puis c'est maman qui sort sur le perron, le visage beaucoup plus défait que si j'avais disparu ou fait une fugue.

Mon oncle me prend le bras.

— Ton père a eu un accident.

Mon sang, comme un venin violent, bouillonne soudain dans mes veines.

— Il n'est pas...

— Dans le coma, affirme mon oncle.

Ma circulation sanguine se rétablit. L'irrémédiable est repoussé. Je vais vers maman et, malgré mes vêtements salis, je la prends dans mes bras. Elle me semble si petite. Ces dernières heures ont dû être un enfer pour elle. Son fils introuvable, son mari blessé.

— On s'est perdus, et pour finir, on est tombés dans la fosse septique des Lafleur, que je relate.

64

La gorge de plus en plus nouée, je demande:

— Comment c'est arrivé?

Mon oncle reprend:

— On ne sait pas. Une distraction, le verglas, la brume... Il a perdu le contrôle et a foncé sur le parapet d'un viaduc.

— Tu vas bien au moins? s'informe maman.

— Oui, oui.

— Va te changer et on va aller à l'hôpital, mon grand.

Monsieur Gladu s'avance, un peu gêné.

— Bon, on va partir. Vous nous donnerez des nouvelles.

Marie-Andrée et moi échangeons un regard désemparé et je rentre me changer.

Je laisse longtemps l'eau chaude cribler mon corps endolori, puis j'alterne avec de l'eau froide pour me donner un coup de fouet. Je passe ensuite dans ma chambre. Tout tourne au ralenti. Je ne sens plus rien sauf au plexus solaire, le siège des émotions.

J'entrevois Sardine, efflanquée, sur mon bureau près de la fenêtre. Elle perçoit mes vibrations car elle demeure couchée sur mes sacro-saintes cartes de hockey, territoire pourtant formellement défendu. Sa pupille d'ébène suit mes mouvements. Avec son sixième sens, elle doit capter mon abattement et elle reste immobile pour ne pas perturber davantage mes états d'âme.

Je me peigne. Mes yeux sont cernés, vitreux. Je dois faire de la fièvre après ma nuit à la belle étoile. Au détour de l'escalier, j'entends ma mère et tante Louise chuchoter dans le vestibule. Comme j'ai l'ouïe d'une nyctale boréale (sorte de chouette aux oreilles asymétriques qui entend en trois dimensions), rien ne m'échappe.

— Ne va pas t'imaginer des choses! conseille ma tante. La femme travaillait à l'Hôtel de ville comme lui. Une collègue de travail, sans plus.

Nouvelle giclée de venin dans mes vaisseaux. Insidieusement, je sens la peine de maman. D'abord matraquée par l'annonce de l'accident, puis rongée par le doute d'une trahison.

Des jeux d'adultes. Dangereux. J'en croyais mes parents incapables. Trop rangés.

— Jean, t'es prêt? lance maman.

Je tressaille, m'avance.

— J'arrive!

En descendant, je demande:

— Évariste vient avec nous?

— S'il veut.

J'enfile le couloir et trouve sa porte de chambre entrebâillée. Il est en train de rafistoler une violette africaine qu'on lui a confiée.

— Tu viens avec nous?

Je le tutoie maintenant comme grand-père.

— Tu veux?

— Oui.

Il pose une main sur mon épaule.

— Allons-y, mon gars.

Dehors, le ciel est un casque de plomb qui fait incliner la tête. Le vent s'est levé. Ce qui reste de feuilles dans les arbres est retourné et celles qui jonchent le sol roulent au hasard comme des folles... roulent comme une auto sans contrôle.

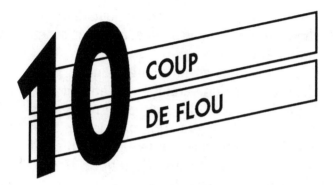

10 COUP DE FLOU

Le visage de mon père est intact, sans doute à cause du coussin gonflable du volant, et s'il n'y avait pas ce tube translucide fixé à son nez et à son bras, on croirait qu'il roupille tranquillement. Sa barbe a poussé, foncée comme celle de l'Omer Simpson des dessins animés. Cette association me fait habituellement sourire. Pas aujourd'hui.

À peine sommes-nous au chevet de papa, que déjà, il faut se retirer. Guère hospitaliers, les «soins intensifs».

— Je vais aller voir le médecin, m'affranchit maman en sortant. Attends-moi avec Évariste.

Je longe le mur blanc jusqu'au boudoir. Évariste se tient debout devant une rangée de fauteuils, contemplant la grisaille par la baie vitrée. Dans un coin, un monsieur égrène son chapelet, tandis qu'une dame en jaquette reprend son souffle, appuyée sur sa marchette.

Je me sens comme une mouche prise dans la toile d'une araignée, attendant soumise, le retour de l'insecte parti relever ses pièges. J'ai toujours eu la phobie des araignées. À cinq ans, tante Louise m'avait acheté l'album *Ariane l'araignée rieuse,* eh bien ça m'a fait pleurer.

Je me laisse tomber sur un siège.

— On dirait qu'il dort.

— Y a un peu de ça, affirme Évariste.

Il me tend une pomme.

— Tiens, tu dois avoir le ventre creux depuis hier.

— Pas faim. Tu savais qu'il y avait une femme avec papa?

— La police l'a dit.

— Elle est vivante?

— Elle a eu moins de chance...

— J'ai déjà entendu dire que les gens dans le coma voient et entendent tout ce qui se passe autour d'eux, comme si leur esprit flottait au-dessus de leur corps.

— Peut-être qu'ils sont dans une salle d'attente eux aussi.

— Tu crois que mon père trompait ma mère? que je demande de but en blanc.

— Peut-être qu'il se trompait tout bonnement.

Ça y est, Évariste commence à déparler.

— Tu vois l'arbre dehors? enchaîne-t-il. Et toutes ses branches? Dans la vie, on peut emprunter autant de sentiers. C'est comme un immense jeu d'échelles et de serpents, un grand chassé-croisé. Pas toujours facile de s'y retrouver.

— J'ai entendu les infirmières. S'il s'en sort, peut-être qu'il ne pourra plus marcher.

— Attendons.

C'est bien ça qui me morfond, ai-je eu envie de riposter, mais j'adresse plutôt une requête à Évariste.

— Raconte-moi quand t'étais un saule.

Évariste soupire.

— Mes histoires, tu les connais par cœur, ti-Jean.

J'insiste:

— Raconte.

Il me regarde avec ses bons yeux.

— Quand j'étais un saule, mon souvenir le plus touchant, c'est quand on a enterré un enfant à mes pieds. L'été durant, sa mère est venue prier sur son carré de terre. Elle y déposait ses fleurs et ses pleurs. Je la consolais de mon mieux avec le vent et le soleil à travers mes branches. Le soir, quand elle partait, je prenais la relève; doucement, du bout du feuillage, je remontais l'herbe pour couvrir le petit corps endormi. Être un saule de cimetière, c'est beaucoup moins triste et moins lugubre qu'on peut l'imaginer.

Il hésite.

— Comment pourrais-je t'expliquer... C'est comme si on te confiait quelqu'un qui fait bientôt partie de toi. On lui sert d'ascenseur pour qu'il monte à bout de bras, qu'il reprenne son élan.

Je souris tristement.

— T'es vraiment «flyé», Évariste. Comment peux-tu te souvenir de tout ça, tu te rappelles même plus ton nom!

— La mémoire est une drôle de machine, tu sais. Une sorte de boîte à surprises, un grand chapeau d'où tu tires des morceaux au hasard.

— Tu y tires surtout de gros lapins, pas vrai? que je lâche, amer.

— La vie est la plus grande des magiciennes. Elle peut nous amener à changer sans qu'on s'en aperçoive, résume Évariste.

«Au point où j'en suis, une parabole de plus», fais-je en marmottant.

11 LA CARCASSE

— **L**e médecin dit qu'il peut se réveiller n'importe quand, c'est une question de temps, affirme ma mère en conduisant.

Tante Louise nous a prêté sa voiture. Maman pilote les yeux fixes. Lové sur la banquette arrière, je note son profil tendu et une petite veine qui bat à sa tempe. Elle roule compulsivement son jonc avec son pouce. Sa main droite est crispée sur le volant.

— Il reprendra vite le dessus, présage Évariste-le-sage.

On quitte la grand-route pour emprunter un chemin familier. La pluie a cessé. Le ciel est livide. On longe le dépanneur Duhamel où mon père achète ses billets de loto, puis le magasin vidéo avec sa vitrine bardée de nouveautés. Vient ensuite le garage Rinfret flanqué de ses remorqueuses.

Au passage, une vision de cauchemar me vrille la rétine. À côté du garage gît la carcasse d'une voiture rouge vif. La tôle en est froissée, le pare-brise défoncé.

Un doute atroce me glace. Ma mère garde toujours les yeux rivés sur la route, heureusement. Évariste tourne calmement la tête.

J'ai la nausée comme si j'étais à bord d'un carrousel détraqué. Je dois me retenir pour ne pas vomir. Je compte les minutes jusqu'à ce que ma mère s'engage dans notre stationnement où l'absence de l'auto de mon père ravive mon haut-le-cœur.

Vite, j'ouvre la portière et me réfugie près de la maison. Hors de la vue des autres, je vomis, une main appuyée contre le mur, la tête penchée comme celles des gros tournesols fânés qui bordent encore les fondations. De la corniche, des pigeons m'épient. Je m'empare du tuyau d'arrosage et m'envoie un jet dans le portrait. Je suis trempé, esquinté, mais mes efforts ont dénoué le gros nœud de mon abdomen. Je m'essuie, passe la main dans mes cheveux et je rentre pour ne pas alerter maman.

— Je vais faire un tour, lui dis-je.

— Tu dois être fatigué. Tu devrais te reposer, m'enjoint-elle faiblement.

— J'serai pas long. Besoin d'air.

— Comme tu veux, mon grand. Moi, je vais m'étendre.

Évariste me coule un regard.

Dès que je suis dehors, j'enfourche mon vélo et pédale en direction du garage Rinfret. Dans le ciel, des nuages courent avec moi. Le garage est loin, mais avec mon tout-terrain, je prends des raccourcis. Les poings arrimés à mon guidon, je fends des buissons, fouette des rigoles, saute des fossés, survole des ornières. Une force incontrôlable m'emporte. J'ai rendez-vous avec le monstre d'acier qui a désarçonné mon père, éjecté son corps dans l'espace comme un météorite insignifiant.

Quand j'arrive chez Rinfret, je suis dans le même état qu'un champion de motocross après une compétition. Décoiffé. J'ai été tellement sur les nerfs, tout au long du trajet, que j'en tremble. Pour finir, une crampe perfide me tord un jarret et je tombe de ma bicyclette. Couché en chien de fusil sur l'asphalte, j'essaie de délier ma jambe.

J'ai l'air d'un crabe rhumatisant, raide comme une débarbouillette mal rincée dans le coin de la baignoire. Faudrait que je me secoue, mais j'ai trop mal.

C'est alors que deux mains paisibles descendent sur ma jambe.

— Détends-toi, mon gars. Là, ça va passer.

La douleur s'évanouit.

— Évariste! Qu'est-ce que tu fais ici?

— Quand tu as pris la poudre d'escampette tout à l'heure, la voisine sortait de sa cour. Je lui ai demandé de me déposer ici.

Il m'aide à me relever. D'un hochement de menton, il montre l'auto endommagée.

— Tu voulais la voir de plus près?

Je baisse la tête.

— Comme si tu savais pas déjà... fait Évariste.

Naturellement que je savais.

12 LE CONSTAT

Le fond des choses, le fond du baril, je ne sais pas pourquoi on veut toujours y toucher, pourquoi on s'y acharne: effleurer le rond du poêle pour voir si ça brûle; agacer un chien pour voir s'il va mordre; enquiquiner ses parents pour voir s'ils vont craquer. On passe sa vie à s'essayer, comme des mineurs avec leur petite lumière dans le front, qui grignotent du noir jusqu'au bout du tunnel.

J'étais sûr à 99% que l'auto rouge du garage Rinfret était celle de mon père, mais je voulais la voir de près. C'est comme ça.

Et puis, assez de jongleries. Évariste commence à me déteindre dessus. Si ça continue, je vais ressembler au presse-livres de ma bibliothèque, le gars pogné de Rodin qui ronge son frein sur son poing.

Abandonnant mon vélo, je me dirige vers l'auto démolie.

Dans un piteux état la Z34, son profil aérodynamique en accordéon. On se rend compte qu'il s'agit d'une auto comme une autre: un assemblage de feuilles de tôle. Une gerbe de graminées, fauchée au cours de l'embardée, est restée fichée en ornement à la portière. Le cœur tambourinant, je vise l'intérieur: volant déformé; coussin protecteur flasque; taches de sang; fricassée de verre sur le siège; tapis en lambeaux sur le plancher. Ce qui me foudroie le plus, c'est d'apercevoir le buste décapité du schtroumpf porte-bonheur de mon père qui tient encore, collé, au tableau de bord. Enfant, c'était mon favori. Je le trimbalais partout. Plus tard, mon père l'a conservé comme un fétiche.

Cette mutilation d'un objet si affectionné me fend l'âme. J'allonge le bras pour arracher ce qui reste du petit personnage et j'aperçois sa tête qui a roulé, côté passager, près d'un talon aiguille. J'atteins les deux objets et je les ramasse.

— C'était mon préféré, que je confie à Évariste en lui montrant le schtroumpf tronqué.

Évariste acquiesce doucement.

— Mais le talon, ajoute-t-il, c'est pas un morceau de ton puzzle, ça. T'auras beau le retourner dans tous les sens...

D'un œil morne, je considère la moulure, puis dans un élan, la jette très loin dans le terrain vague près du garage.

Mes yeux picotent. Faut être le dernier des idiots pour se torturer de la sorte.

Le pompiste qui vient de servir de l'essence nous rejoint.

— Beau gâchis, y a pas à dire, estime-t-il en s'essuyant les mains. Quand on a le pied trop pesant...

— C'est l'auto de mon père, que je déballe sèchement.

Ça lui ferme *illico* le réservoir, à ce con-sans-plomb.

Se cherchant une contenance, il tire sur la guenille graisseuse qu'il vient de fourrer dans sa poche, s'en éponge le front et se mouche avec.

Je le laisse à son barbouillage, fais volte-face et regagne mon vélo.

— J'ai bien l'impression que, pour le retour, tu vas devoir me servir de taxi, commente Évariste.

Je lui désigne la barre de ma bicyclette.

Il se résout à prendre place.

— C'est mieux qu'à pied. À condition que tu ne piques pas un autre sprint à travers champs!

— Ce serait difficile, à moins que mon vélo se mette à voler comme celui d'E.T.!

Évariste s'assoit devant moi, les fesses de guingois et je donne un premier coup de pédale. C'est pas si dur que ça: Évariste est léger et mon vélo performant. Je lui laisse le soin de diriger avec les poignées. Il fait de son mieux pour éviter les flaques, mais la plupart des automobilistes nous aspergent généreusement. Par chance, on emprunte bientôt une paisible voie transversale.

— Je gage que t'aimerais mieux avoir la belle Marie-Andrée devant toi, me taquine Évariste après un temps.

— J'dirais pas non.

Une formation de canards nasillent au-dessus de nous en s'escrimant vers le sud. Évariste gigote sur la barre.

— Dur pour les coussins?

— Couci, couça. C'est pas pire que d'être assis sur du bois. Tiens, ça me rappelle le temps où j'étais un vieux platane et qu'un gamin avait adopté ma plus grosse branche pour venir s'y asseoir.

Sans attendre, il enchaîne avec ses mémoires de feuillus. Alors je continue de pédaler pendant que les pneus, eux, chuchotent sur la chaussée mouillée.

13 LE VIEUX PLATANE

— **F**igure-toi que le gamin en question
— qui s'appelait Benoît — avait élu domicile
au beau milieu de ma frondaison, aussi
épaisse et sombre que ta tignasse. Il venait
s'y affaler pour lire ses bandes dessinées,
cacher ses trésors, compter ses billes, re-
mâcher ses punitions, réfléchir sur la vie,
mesurer son zizi, et cetera, et cetera. Il
s'asseyait sur ma plus grosse branche, les
jambes ballantes, et discourait sur ses profs,
ses blondes, ses bons et ses mauvais coups

et tout et tout. J'étais, comme on dit, sa «vieille branche».

«Des années de confidences nous ont unis.

«Un beau matin, je le vis arriver avec un attirail de photographe sur l'épaule. Sans un mot, il fixa une caméra sur un trépied, avant de m'escalader et de me dévaler 36 fois de suite pour en ajuster le foyer, tout en me précisant qu'il voulait nous prendre en photo. Il régla la minuterie et courut une dernière fois se jucher sur ma plus grosse branche pour déclarer solennellement: «Ça y est, on est immortalisés!»

«Il resta ensuite un long moment à pianoter sur mon écorce. Je me doutais qu'il ruminait quelque chose. C'est alors qu'il me fit part de son prochain départ. Ses parents étaient expropriés, la ville agrandissant son parc industriel dans le secteur. Des travaux d'excavation étaient déjà en cours dans les alentours. Si seulement on avait pu me déplacer, mais à mon âge... Benoît m'expliqua que cette expropriation coïncidait avec un transfert de compagnie pour son père. Ils quittaient donc à la fois leur résidence et leur ville. «Dans le fond, m'avoua-t-il, c'est peut-être mieux, comme ça je ne serai pas là quand ils vont te déraciner».

«Le cœur gros, Benoît évoqua nos meilleurs moments. Il disait qu'il m'avait vu grandir. Tu parles, comme si c'était lui qui s'était tapé la balançoire de bébé, puis le vieux pneu. Sans compter les virées avec ses petits voisins: ficelage de cow-boys et d'indiens, calcul interminable pour jouer à la cachette, troisième but au base-ball, combats de hamac.

«J'en avais vu de toutes les couleurs et pas rien qu'aux saisons! L'idée de perdre mon ami me navrait, mais j'avais été témoin d'assez de levers et de couchers de soleil à l'horizon pour savoir qu'on ne peut changer certaines choses. «*Whatever will be, will be*», pour citer Confucius qui parlait anglais à ses heures.

«Les jours suivants, j'ai regardé Benoît et sa famille quitter mon ombre, le dos rond, empilant des boîtes dans un camion. À la dernière minute, Benoît a couru ramasser une graine à mes pieds et a promis de la planter devant sa nouvelle demeure. Ce fut l'adieu de mon garnement.

«Le surlendemain, en frémissant de la cime aux racines, j'ai vu arriver le bulldozer et la pelle mécanique. J'aurais voulu me faire bonsaï! Quelques ruades de ces dinosaures d'acier suffirent à mettre à terre la maison désertée. Puis les mâchoires implacables de ces monstres précipitèrent les décombres dans un conteneur et le massacre s'arrêta. Je me disais qu'on me gardait pour le dessert. Une semaine passa, une autre, puis encore une autre. Tout resta en plan.

«Deux mois plus tard, des employés de la voirie vinrent ramasser les débris et je les entendis dire que la ville abandonnait son projet d'expansion. On avait ainsi détruit pour rien la belle demeure.

«Deux ans après, une autoroute fut prolongée de l'autre côté du champ d'en face. Des véhicules et des années passèrent. Accidents, carambolages, auto-stop, vapeur de bitume et bêtes écrasées constituaient mon panorama. Heureusement, matin et soir, le soleil continuait à saupoudrer de l'or sur mon feuillage, et puis il y eut les fraises des champs, les trèfles odorants et les boutons d'or qui foisonnèrent, tout ça dans la rosée du matin et du soir.

«Et justement un soir, comme le jour se mourait dans une lumière mordorée, une voiture s'engagea sur le petit chemin menant autrefois à la maison. Les phares dansaient dans les cahots. La voiture s'immobilisa à ma hauteur et un homme en descendit. Il faisait sombre, mais je le vis ouvrir sa malle arrière et en sortir une corde. Lentement, il s'avança. Quand il fut tout près de moi, je vis luire ses yeux. Je frissonnai comme un tremble et je reconnus Benoît. Son visage avait changé. Ses traits étaient creusés.

«— Salut, vieux! T'as tenu le coup. Je n'en espérais pas tant de toi, articula-t-il d'une voix blanche.

«Il grimpa à califourchon sur ma grosse branche à l'extrémité de laquelle il noua sa corde; à l'autre bout, il fit un nœud coulant. Posément, il passa celui-ci autour de son cou et alors, bêtement, il se jeta en bas de la branche.

«T'as déjà vu un arbre craquer? T'aurais dû me voir! Facile à mon âge. Vénérable j'étais, avec de la mousse en bavette et des champignons en étagères, et par-dessus tout, j'avais une telle envie de l'assommer, l'imbécile!

«CRACCCCCK! j'ai laissé tomber ma branche pour qu'elle lui arrive droit sur le caisson. Dans l'os, le saut en *bungee*! Et si j'avais eu à ma disposition un guêpier, je le lui aurais balancé en prime.

«J'ai jamais autant regretté de ne pas avoir le don de la parole pour l'invectiver proprement. Complice pour la vie, d'accord, mais pas pour la mort! Il pouvait aller se pendre ailleurs, pas à mon crochet!

«Quand il s'est retrouvé sur son derrière avec une aubergine grosse comme ça sur le front, il a ri. Mais ça n'a pas duré.

«— Tu me laisses tomber, toi aussi! qu'il s'est mis à larmoyer.

«Si j'avais pu encore l'assommer! Qu'est-ce qu'il croyait! S'il n'était qu'un homme, moi, je n'étais qu'un arbre!

«La tête entre les jambes, les épaules tressautantes, il a continué de pleurer, et ça m'a rappelé la fois où, enfant, il était tombé en fourrant son nez dans un nid de pies. Pas friands de visiteurs, ces volatiles, et plutôt du genre kamikazes. Elles lui ont filé une telle frousse qu'il a dégringolé de tout son long sur ses œufs à lui!

«J'ai eu pitié en évoquant ce souvenir. Doucement, Benoît s'est appuyé sur moi en fermant les yeux. Ça aussi, ça m'a fait frissonner.

«Il est resté là à dormir pendant des heures, bientôt affaissé sur son bras, le souffle entrecoupé, les cils perlés, comme quand, petit garçon, il revenait d'un chagrin.

«Je ne sais pas quelles tempêtes il avait traversées, mon mousse, mais il s'était perdu de vue. Peut-être que je lui ai servi de phare. En tout cas, quand il s'est éveillé, il a repris le large.»

Évariste se tait. Seul continue le roulis des pneus sur le pavé lustré.

— C'était censé me remonter le moral, ton histoire! que je renaude après quelques minutes.

— Mettons, fait simplement Évariste.

— Pas surprenant qu'on veuille couper les cours de philo dans les cégeps! que je bougonne.

14 INTERMÈDE

Ça fait quinze jours que mon père est à l'hôpital. État stationnaire, dit-on. À la maison, novembre commence, la mort dans l'âme. Entre nos visites à papa, on essaie de vivre normalement, mais c'est pas évident. Elle n'a plus le cœur à coudre, ni moi à étudier.

Heureusement, Évariste est là. Plus que jamais il nous est précieux. Il entretient autour de nous une routine qui nous empêche de sombrer totalement dans la déprime.

Il vaque à ceci, à cela, mitonne un repas, meuble nos temps libres de petites occupations qui, du moins temporairement, ont le mérite d'atténuer LA préoccupation essentielle: papa.

Aujourd'hui, c'est samedi et il vient d'aller répondre à un livreur qui sonnait à la porte. Il s'amène dans la cuisine, une feuille de chou à la main.

— Une promotion du *Journal de Montréal*! On va le feuilleter un brin.

Il épluche le quotidien et effectue sa distribution des prix: la chronique artistique pour ma mère, la section des sports pour moi, les faits divers pour lui. Maman et moi, on lève les yeux au ciel, mais on sait que c'est pour notre bien.

Voyons voir... Côté base-ball, la saison vient de finir sans trop de rebondissements. Côté hockey, les Canadiens jouent bien, forts de leur coupe Stanley raflée aux mains des Kings et du grand Gretzky. Belle victoire! Je nous revois, mon père et moi, le fameux soir. On avait les yeux dans l'eau en regardant les joueurs brandir le trophée sur la glace massacrée du Forum. Notre écran de 29 pouces n'était pas assez grand à mon goût. J'aurais aimé être dans les gradins à tonner des «Lalalala, Lalalala, Yéyéyé, Good-bye...».

Mais j'y étais pas (snif!). Par contre, ça m'a évité de recevoir des bouteilles de bière sur la tête, parce qu'après, les réjouissances ont tourné au vinaigre sur la rue Sainte-Catherine. Ça a joué des coudes, les bâtons bien plus élevés que pendant les séries, je vous le garantis! Une débilité totale.

Le lendemain, à l'école, le grand Dupré, qui avait participé à l'émeute, était tout fier de nous montrer ses plaies et ses bosses. Il n'en rate pas une, le grand Dupré, se pense irrésistible avec ses babines cousues main, ses oreilles caoutchouteuses, ses arcades en zigzag et ses dents en clavier. Il est sûr que ça émoustille les filles, sa gueule raccommodée. C'est pas moi qui vais le contrarier. À chacun ses illusions.

Je termine la section «Sports» et tombe cette fois sur les petites annonces, rubrique «Partenaires». Alors là, on se rapproche de *CROC,* la revue qui croque et choque.

Femme Scorpion recherche homme doux, sentimental, aimant le cuir.

Adepte de saut en parachute, descente de rapides et jeux de guerre simulés, aimerait compagne féminine et romantique.

Homme Balance recherche femme stable pour l'hiver.

Femme quarantaine recherche homme avec bon sens de l'humour. Policiers et pompiers s'abstenir.

Loup solitaire des Laurentides recherche petite grand-mère 38-24-36.

À qui la chance? Cœur solitaire aimant bingo, slow, toc et mini-putt. Si t'aimes l'action, appelle-moi.

Bélier professionnel, poids proportionnel, facile à vivre, tourné vers l'essentiel, recherche compagne sexy, non fumeuse, non buveuse, compréhensive et à l'aise financièrement.

Marié, 30 ans, ouvert à l'amour. Aimerait compagne discrète pour échanger des idées.

Signe Vierge, sans discrimination. Recherche homme ou femme en vue d'expériences enrichissantes.

Divertissant, non? Et ça se corse avec la rubrique «Services spécialisés».

Lili t'invite à un massage de détente. Viens faire une pause-santé érotique dans air climatisé.

Tu te cherches? Viens me trouver. J'ai un lit d'eau et un système vidéo.

Pour des bisous partout partout, contacte Loulou. Nouveau client 10$ seulement. Amène un ami.

J'écoute tous tes problèmes. Viens les confier en secret à Jessica, Lolita, Barbara, Candy, Sandra, Kristel, Manon, Valérie, Sacha et leurs copines.

La Braguette magique *te reçoit dans l'intimité, avec douche et air climatisé. Chèque et carte de crédit acceptés.*

À l'Hôtel du Pou nerveux, *on te fait le grand jeu. Spécial d'ouverture. Bains tourbillons et miroirs encastrés.*

Pour un moment inoubliable, appelle Nataciel. Agence Au-delà du réel *où tes fantasmes deviennent réalité.*

Ton harem privé t'attend chez Ève inc., *succursale de* L'Abîme du plaisir enr.

Au studio La Bagatelle, *tes désirs sont des ordres. Nouveau personnel, salle climatisée, tenue décontractée.*

Y a pas à dire, c'est fort la vie.

— Tu veux t'acheter un climatiseur? me douche Évariste en me chipant le cahier de sous les yeux.

Au même instant, une Sardine amincie et éméchée se pointe dans l'embrasure en miaulant qu'elle vient d'accoucher... Si on veut bien la suivre...

La sonnerie du téléphone l'interrompt. Maman va répondre et là, elle a une drôle de réaction. Ses yeux s'embrument tandis qu'elle me sourit.

— Ton père a repris connaissance, chevrote-t-elle.

Évariste m'administre une tape sur l'omoplate.

Quand je vous le disais: c'est fort la vie!

15 DRÔLES DE RETROUVAILLES

Le médecin nous intercepte avant qu'on entre dans la chambre de papa. Il a un physique de déménageur et paraît à l'étroit dans son sarrau, le doc. À la place du stéthoscope autour de son cou taurin, on imaginerait mieux une courroie pour tirer un autobus. Il a le cheveu gris, hirsute, planté bas au-dessus de lunettes, grandes justement comme des châssis d'autobus.

— Votre mari a subi un très gros choc, notifie-t-il d'un ton neutre. Il est possible

99

qu'il prenne un certain temps avant de se remettre. Après un coma, c'est fréquent.

Ma mère acquiesce en silence et nous entrons dans la chambre de mon père, une chambre à peu près normale celle-là, sans machinerie lourde.

Maman s'approche du lit; mon père, sentant une présence, ouvre les yeux.

— Marcel... fait tendrement ma mère en avançant la main.

Je me tiens tout près, empoté, trop troublé pour poser un geste.

Mon père nous regarde tour à tour avec une lueur inhabituelle dans les prunelles.

— Sardine a eu ses petits, p'pa. Faut que tu les voies!

J'ai dit ça d'un trait pour éviter tout pathétique.

Mon père continue de nous fixer d'une drôle de manière.

— Mais qui... qui êtes-vous? finit-il par prononcer entre ses lèvres pâles.

Maman s'écrie:

— Ben voyons, c'est nous. Denise! Jean! Il nous reconnaît pas! T'as eu un accident d'auto. T'es resté 15 jours dans le coma. C'est normal que tu sois un peu mêlé, mais ça va vite te revenir. Faut pas t'en faire.

Sa panique la rend volubile. Je ne sais pas lequel d'entre nous elle essaie de rassurer le plus, mais je me doute que c'est elle.

— Attends, attends, je vais te montrer... s'anime-t-elle en ouvrant fiévreusement son sac à main.

Elle cramponne son portefeuille et en extrait notre dernière photo de famille. Même Sardine y apparaît, pelotonnée sur les genoux de mon père.

— Là, là, tu vois, s'empresse-t-elle. C'est nous. Elle a été prise il y a deux mois. Tu étrennais ton veston de tweed.

Mon père zieute et la photo et notre duo. L'ondulation de ses sourcils est éloquente. Il revient de loin et, visiblement, on n'était pas là.

Ma mère commence à perdre son contrôle. Elle n'ose reprendre la main de papa sur le drap. Sa respiration s'étire, sa voix s'épuise. Moi, je n'en mène pas plus large et, comme toujours dans les moments intenses, j'ai un bouchon de liège dans le goulot.

Créant une diversion, une infirmière entre.

Silence total. On n'entend que le froufrou de son uniforme. Elle vient changer le sac de soluté accroché au lit de mon père.

— Oups! fait-elle en s'étirant. C'est pas drôle d'être petite. On a beau dire «dans les petits pots, les meilleurs onguents», dans mon cas, faudrait pas mal de petits pots pour faire un banc!

Sa plaisanterie saugrenue vole tellement bas qu'on sent un courant d'air aux chevilles. Elle devrait se recycler comme anesthésiste.

Ma mère enfouit sa figure dans ses mains en coque.

La garde comprend que ça ne va pas fort.

— Voyons, madame, voyons.

Mon père regarde passivement la scène, à demi dans le sirop.

— Il... il nous reconnaît pas, sanglote maman au bout du rouleau.

— Ça va revenir, fait la garde, encourageante. Il faut un peu de temps.

Léger coup à la porte. J'avise Évariste, le nez froncé en signe d'interrogation. Mon air piteux l'informe. Il s'avance en dodelinant de la tête, comme pour sympathiser, et s'installe sur le bord opposé du lit. Mon père se tourne lentement vers lui.

— Ça va? susurre Évariste plein de sollicitude.

— Ça va, Évariste, lui répond papa.

Ma mère s'étouffe dans son mouchoir; moi, j'ai la mâchoire qui se démandibule (avec deux «d» dans le contexte).

— Il le reconnaît! s'exclame ma mère.

— Bien sûr, fait posément mon père. Maman et moi, on en est sur le dos.

— Entre amnésiques... justifie tout naturellement Évariste.

16

PETIT
RÉPIT

Le médecin nous explique que la mémoire peut être sélective, que, dans le cas de mon père, Évariste a été l'élément déclencheur pour remettre son ordinateur à jour: ce n'est qu'après l'avoir reconnu, lui, qu'il a pu nous reconnaître, nous.

Les méandres du cerveau, c'est plus compliqué que le caramel de la *Caramilk*, paraît-il. On est rassurés. On l'est encore davantage lorsque le médecin atteste que le traumatisme de mon père ne laissera pas de séquelles. Avec notre support moral et de la physiothérapie, tout devrait graduellement rentrer dans l'ordre.

«Dans les cas de lésions graves, certains doivent réapprendre les gestes de base comme boire, manger, marcher. Repartir à zéro de cette façon exige beaucoup d'un être humain», décrète le médecin.

Je comprends!

Tous les jours, ma mère se rend tôt à l'hôpital. Elle épaule mon père de son mieux. Sa façon d'agir me rassure, mais elle me chagrine aussi quand je pense qu'elle doit avoir une grosse épine enfoncée dans le cœur. Comment fait-elle pour ne pas le laisser voir?

Je suis bien confus parfois. Autant j'adore mon père et frémis à la pensée que j'aurais pu le perdre, autant il m'arrive de lui en vouloir à mort pour avoir installé le doute dans le cœur de ma mère. Il y a une ombre au tableau et je suis bien content que ma mère la dissipe un soir où j'ai le nez plongé dans mes livres, mais l'esprit aux prises avec mes débats intérieurs.

— J'ai eu une conversation avec ton père, a débuté ma mère. Ça nous a fait du bien à tous les deux. Comme dit Évariste, la ligne la plus courte pour se retrouver peut être celle qu'on trace sur le passé. Les pointillés ne mènent nulle part.

Je reconnais bien Évariste. Sa force, c'est pas ses paroles sibyllines, c'est la façon qu'il a de les prodiguer. Il dégage de bonnes vibrations, des ondes positives. Par sa seule présence, il a sorti mon père de son marasme et maintenant, en douce, il le remet au diapason avec ma mère.

Je ne sais pas qui il est Évariste (d'ailleurs lui non plus!), mais c'est quelqu'un de bien.

J'en suis là dans mes raisonnements lorsque j'arrive à la maison. C'est vendredi. Maman et Évariste ne sont pas encore revenus de l'hôpital. J'ouvre la porte et j'aperçois les cinq chatons de Sardine à la queue leu leu comme des canetons dans l'escalier. Mignons, je vous jure! Cinq peluches: deux rousses, deux grises, une tachetée. J'ai hâte que papa les voie.

Vous ai-je dit comment ils nous sont arrivés ces bébés? Imaginez-vous que Sardine les a eus dans la boîte de décorations de Noël rangée au sous-sol. Au beau milieu d'une couronne, enchevêtrés dans les guirlandes, les glaçons et les cheveux d'ange. Tout un cadeau! Le hic, c'est que, par la suite, Sardine s'est obstinée à les garder là. Pas question de déménager sa postérité avant 15 jours révolus! Voulait rien savoir, la nouvelle mère, même affaiblie par l'accouchement et l'allaitement.

J'aime autant vous dire qu'à la veille des Fêtes, ça fait pitié côté fioritures, cette année. Qui plus est, il n'y a pas de neige, il pleut! La semaine passée, Sardine a dégoté un mulot qu'elle a rapporté à ses rejetons en guise d'initiation. Sans me méfier, je l'avais laissée entrer avec le souriceau sous les moustaches. En trottinant, elle l'a déposé devant ses minets en cercle. Vous auriez dû voir ma mère quand elle s'est aperçue du rituel! La gigue autour du groupe.

— Sardine, tu vas tout de suite sortir ça dehors! T'entends, Sardine! Sardine, je te le dirai pas deux fois!

Imperturbable, la Sardine. Toute à son devoir.

Ma mère a eu beau trépigner, nenni. Nature oblige. Maman a dû recourir au balai pour évacuer le pauvre rongeur à demi zombi dans le garage.

Sardine a fait d'autres tentatives depuis, mais, chaque fois, ses élans pédagogiques ont été réprimés. Dorénavant, elle doit montrer patte blanche à chaque retour de maraude. C'est pas demain qu'elle en fera des chasseurs, ses minous. Mais elle se résigne tant bien que mal, compte tenu des nombreux avantages sociaux d'un chat domestique.

En voyant les cinq chatons qui descendent maladroitement l'escalier, je me demande comment je vais faire pour m'en séparer. Ma mère a été catégorique: on ne va pas tous les garder. Elle voulait laisser Sardine connaître les joies de la maternité et moi, celles de la «paternité endossée», mais aussitôt les minets sevrés, ils seront disséminés et leur mère opérée.

Comment Sardine va-t-elle réagir à «l'éclatement» de son petit monde? C'est précieux une famille. Je l'ai compris ces derniers mois. À l'avenir, je ne prendrai plus la mienne pour acquise. La vie est si fragile, comme chante Luc De Larochellière dans une toune que je trouvais avant trop sérieuse pour mon âge.

Je regarde Sardine entourée de ses petits qui se chamaillent et je pense que je suis aussi vulnérable. Un mot me vient, tiré de ma vaste culture encyclopédique (et de nombreux extraits parus sur des boîtes de céréales): ANTHROPOMORPHISME. Ça veut dire: attribuer aux animaux des sentiments humains.

A-t-on tort? En tout cas, leur instinct est souvent plus fort. J'en ai encore la preuve à l'instant, alors que Sardine dresse l'oreille avant même que ça ne sonne à la porte. Elle a flairé un pépin et il est de taille:

Attention les gars, Rose-Iris Lafleur s'amène!

Attention les gars, Rose-Iris Lafleur s'amène!

17 LA CRÉATURE

Il faut que je vous présente Rose-Iris, la fille de la voisine d'en face. J'ai rien contre les punks, mais il y en a des plus punkés que d'autres, dont Rose-Iris.

Elle arrive dans ses bottes orthopédiques noires. Cinquante-deux œillets lacés serrés sur ses flûtes. Ses cuisses maigrelettes s'étirent dans un collant aux bandes fluo jaunes et noires. Sa taille de guêpe est sanglée dans une culotte effilochée comme une jupette hawaïenne. Un chandail gris aux énormes

111

pois blancs moule ses petits seins tombants. Elle porte un crucifix à l'envers au cou, des croix gammées aux oreilles. Un côté de sa tête est hérissé de tifs fuchsia avec une huppe vert lime; l'autre, rasé, est tatoué d'une toile d'araignée (laquelle vit dans son grenier). Elle arbore des gants percés (comme les cyclistes), desquels s'échappent des demi-doigts aux ongles vermillon. Dernière coquetterie: un clou platine planté dans une de ses narines (qui se marie bien avec ses broches dentaires) et qu'elle n'enlève qu'en période de fièvre des foins.

Un cas.

— Salut! fait-elle entre ses lèvres groseille. Je viens choisir mon cadeau de Noël. Ta mère a dit que je pouvais prendre un minou.

Ébranlement de 5,9 sur l'échelle de Richter. Je chancelle. Elle s'avance, nonchalante, avec un port de diva, l'index dans la ganse d'une veste de cuir bardée de rivets et de fermetures éclair.

Intrigués, les chatons s'attroupent autour d'elle.

— Aïe! y sont pétés tes mimines! glapit miss Carnaval.

Et elle s'accroupit au-dessus des bébés moustachus.

— Crampants! couine-t-elle.

Sardine est sur le qui-vive, mais Rose-Iris ne s'en formalise pas. Ses yeux cerclés au marqueur convoitent les chatons.

— C'est celui-là que j'veux! m'intime-t-elle en désignant le minet chamarré (je m'en serais douté). Il est *too much!* C'est comme ça que je vais l'appeler, *TOO MUCH!*

Du bout de ses doigts vermeils, elle grattouille l'interpellé.

Avec la célérité d'un lézard, je rafle le chaton en clamant:

— Va falloir que t'attendes, ils sont pas encore sevrés.

— Mais ta mère a dit à ma mère...

Je tranche:

— Ce serait dangereux de les séparer trop tôt de ma chatte. Tu vois, elle veille encore sur eux.

Et je lui désigne une Sardine maligne, les oreilles dans le crin.

— O.K. j'reviendrai d'abord! marmonne le grand prix d'Halloween.

— C'est ça.

— Mais tu me le réserves, hein? Il est juste *too much,* celui-là!

— J'ai pas encore fait mon choix.

Là, elle se redresse sur ses escabeaux, enfile ses verres-miroirs-futuristes de Carabosse moderne, s'enfourne une palette de gomme de 10 mm dans le clapet et me débite lentement:

— Pas vite, vite, hein... En tout cas, appelle-moi quand t'auras décidé, beauté.

Elle tourne les talons et me fait tata de ses demi-doigts dont l'un d'entre eux est orné d'une tête de mort miniature très réaliste: tu jurerais un cadeau de pygmée.

Je vais être franc avec vous, c'est pas précisément le genre de bouts de doigt que j'aimerais bécoter. Je lui paierais volontiers un voyage autour du monde à Rose-Iris. Style club aventure personnalisé. Arrêt à Flin Flon au Manitoba, trempette au Lac Titicaca, détour par l'Anse-à-l'Âne, séjour aux îles Mouc-Mouc, brunch à la Baie-des-Cochons, et fin de trajet au parc Jurassique où on l'accueillera à bras ouverts. Le punkosaure, une espèce en voie de réapparition; crâne dentelé de stégosaure ou regard velouté de tyrannosaure.

Pour mieux rigoler, je me couche par terre et ouvre ma chemise, laissant les chatons m'escalader. C'est doux. Vingt coussinets sur mon torse viril. Bientôt Sardine se met de la partie: vingt-quatre petons! OUAAAH... Je le répète: c'est mieux que les bouts de doigt peinturlurés de «Fleur-d'Aubépine».

Tiens, alors que je parle d'elle, je la vois qui réapparaît subitement à la porte d'entrée. Une des manches de son blouson est restée coincée. Elle la dégage et referme à toute volée. VLAAAAAAN!

Vous savez ce que ça fait à une délicate peau d'ado, vingt-quatre pattes griffues effarouchées?

OUAAAAAAAA!

18 LE RETOUR

Çe n'est pas un chat de ma chatte, mais un chien de ma chienne, que je lui réserve à Rose-Iris! J'ai dû me badigeonner la poitrine de mercurochrome. On dirait des plaques eczémateuses. Heureusement que l'été est fini, sinon j'en ferais tourner des têtes (hum! comme toujours mais pas pour les motifs habituels).

Après ma séance de premiers soins, j'ai besoin de me requinquer, alors j'y vais de ma mise en train coutumière. Je m'enferme dans ma chambre, mets les écouteurs de mon baladeur sur mes oreilles musclées, règle le volume au max et ferme les yeux bien dur pour savourer l'ambiance. Après quelques secondes de rock fumant, j'oublie Rose-Iris-la-casse-pipe, les égratignures qu'elle m'a values, l'absence de mon père, le départ de Marie-Andrée pour la Floride avec ses parents et pour finir, mes examens de fin de session que je ne suis pas sûr d'avoir réussis dans l'agitation des derniers mois.

La musique, c'est une super soupape. L'espace d'un *beat* percutant, les problèmes foutent le camp. Tout devient possible. On peut être n'importe qui, n'importe où. Une bête de scène qui se déhanche sous les projecteurs, acclamée par une foule hystérique, la peau ruisselante, la guitare chauffée à blanc, les synthétiseurs électrisants. Dans une improvisation simultanée, j'enlève ma ceinture, l'agite dans les airs et la lance dans le public du premier rang. WOUAR! À genoux dans mon lit, au rythme des décibels qui me surchauffent la cervelle, je lâche mon fou.

Soudain, POUM! silence absolu. Plus de son.

Les batteries qui lâchent? N'en croyant pas mes tympans, j'ouvre les yeux. Et qu'est-ce que je vois?

— 'PA!

Près du lit, mon père est là, en chair et en os. Souriant même. En moins de temps qu'il n'en faut au groupe Guns n'Roses pour annuler un spectacle au stade, je m'évade dans ses bras en pleurant.

— Enfin, t'es revenu!

Tout ce que j'avais contenu ces dernières semaines remonte à la surface comme une bouée. Mon père est là, je peux l'embrasser, sentir ses cheveux comme quand, juché sur ses épaules, j'enfouissais mon nez dedans en jouant au cheval. J'en finis plus de le serrer, ça fait si longtemps que je ne l'ai pas tenu contre moi.

— Oui, je suis revenu, souffle papa après quelques minutes. Et de loin, mon grand.

Mon grand, voilà, j'ai joué au grand! Mais maintenant, je suis petit. Je voudrais que mon père me berce dans la balançoire comme avant, qu'il me raconte l'histoire de Tom Sawyer, qu'il me chatouille, me défie au paquet voleur, à la main chaude, au tir du poignet, au jeu de fléchettes, au hockey sur table...

Mais qu'est-ce que je fabrique? Je débloque complètement. Une chance que je ne verbalise pas trop, sinon je pourrais toujours attendre pour obtenir mon permis de conduire! J'y peux rien, j'ai eu tellement peur ces dernières semaines. Je ne soupçonnais pas combien.

Quand je reviens de mes débordements, j'aperçois maman et Évariste dans l'encadrement de la porte. Ma grande scène les a touchés. Ils me couvent tous deux d'un regard humide. Puis ils se décident et nous rejoignent enfin pour une super embrassade. Sardine et ses chatons s'agrippent bientôt à nos basques. On rit.

— T'as raison, c'est bon de se retrouver, me fait papa. Tu comprends, à la veille des Fêtes, le médecin s'est décidé à me donner mon congé. Il affirme que je suis comme neuf. Entièrement opérationnel, de la tour de contrôle aux orteils. Bizarre, l'impression que ça fait de revenir de si loin. On dirait une photo polaroïd; il faut laisser le temps aux images de se reformer, d'apparaître tout doucement.

— Prenons une photo! lance ma mère là-dessus.

Et elle s'empare de l'appareil-photo sur mon bureau, l'ajuste et le place sur ma commode. J'ai pris des tas de photos d'oiseaux pour mon club ornithologique, et il me restait une dernière photo à prendre.

— Bon, c'est pas tout, déclare Evariste après le déclic. Maintenant que le roi est de retour, vous pensez pas qu'il serait temps de préparer le sapin et ses atours?

J'allume.

— On pourrait demander à Rose-Iris de venir. Les bras en croix avec une couple de boules, elle ferait l'affaire.

— Tss-tss! gourmande maman.

— En tout cas, je la vois pas en fée des étoiles, dis-je.

Là, elle s'esclaffe.

— Attention de ne pas te retrouver sous le gui en même temps qu'elle et devoir ainsi l'embrasser, me pique mon père.

Je simule des trémolos.

— Houhouhou...

— Viens avec moi, le comique, fait Évariste en m'épinglant. Hier, dans le bois, j'ai aperçu un petit sapin qui en arrachait pas mal. On va le transplanter dans le salon.

Je le suis, entraînant à ma suite Sardine et les chatons. Mon père et ma mère restent seuls et d'après ce que j'entrevois, ils n'attendent pas d'être sous le gui pour...

19 LE DÉPART

C'est le plus beau Noël de ma vie. Le ciel continue de bouder (la neige brille par son absence!), mais ça ne nous empêche pas de fêter chaleureusement en famille.

Le feu crépite dans le foyer; le sapin embaume; les cadeaux s'entassent; mon père et ma mère se pressent sur le divan avec les chatons comme chaperons; Sardine somnole sur un coussin; Évariste et moi, on joue aux échecs dans un coin et dans le miroitement des flammes, sur la cheminée trône une carte postale criblée de «X» et signée *«En acompte... Marie-Andrée»* (quand on a partagé une fosse septique, hein...).

De vieux classiques sur hi-fi diffusent du «Noël blanc» à pleine langueur. J'en soupire d'aise, le cœur en guimauve.

— Encore une année qui s'achève, déclare Évariste en avançant un pion. Paix aux hommes de bonne volonté! Malgré ses hauts et ses bas, l'année a permis à la paix de faire de nouveaux pas. Après les États-Unis et la Russie, Israël et la Palestine se réconcilient.

Et moi, plus terre à terre, je calcule dans mon for intérieur:

«Mes parents aussi se sont réconciliés. Qui plus est, je me suis fait une blonde et Patrick Roy a décroché un gros contrat. Oui, tout va bien dans le meilleur des mondes. Ça donne presque envie de croire au père Noël, avec ou sans neige.»

En déplaçant mon cavalier, je m'informe auprès d'Évariste-le-devin.

— Tu crois qu'il va neiger?

— Chose certaine, c'est pas un temps ordinaire.

Je m'étire en tortillant des orteils.

— On est super bien, hein, Évariste?

Il me regarde; les flammes du foyer se reflètent dans ses bons yeux.

— C'est vrai, on est bien. Tu sais, ti-Jean, quoi qu'il arrive, je ne vous oublierai jamais.

Je reste un instant interdit par cette remarque qui ressemble à une déclaration.

— Pourquoi tu dis ça?

— Pour que tu le saches, élude Évariste en avançant sa reine et en lançant un sonore «ÉCHEC ET MAT!».

Je feins de me fâcher.

— Ah! c'était une tactique!

Évariste m'octroie un sourire et se contente d'annoncer:

— Je vais aller prendre l'air sous la sentinelle.

C'est ainsi qu'il appelle l'érable devant la maison.

Je réprime un bâillement et m'extrais à mon tour de mon pouf.

— Moi, je vais m'étendre avant l'échange de cadeaux.

C'est une tradition chez nous que d'attendre le signal du coucou.

Mon père et ma mère sont «seuls au monde», calés dans le canapé, fraise contre fraise.

Je passe à la cuisine me confectionner un super chocolat au lait dans un verre ballon (question de standing). Je prends une paille pour mieux déguster et je monte dans ma chambre.

Comme j'y entre, un éclair traverse la pièce. Par la fenêtre, j'aperçois le vieil érable dénudé sur fond de ciel tourmenté.

Un violent coup de vent fait craquer ses branches, suivi d'un formidable coup de tonnerre.

Un orage en décembre? On dirait plutôt un temps à grêler. La planète est vraiment aussi fêlée qu'un œuf de diplodocus sur le point d'éclore. Mais, ai-je parlé de grêle? Voilà que mes prévisions se matérialisent: une nouvelle rafale s'élève et une volée de grêlons percutent ma vitre.

J'en reste baba, d'autant que ça s'envenime. Un second éclair éventre le ciel; on dirait le brasier rougeoyant d'un lance-flammes à travers le châssis de ma fenêtre. Simultanément, je vois se détacher une grosse branche de l'érable.

«La foudre!», dis-je. Et du même coup, la vision d'Évariste sous l'érable me traverse l'esprit. Un nouveau coup de tonnerre résonne tel une bombe. Les murs tremblent et mon chocolat au lait avec.

— ÉVARISTE! que je crie.

Survolté, je dévale l'escalier. Je me précipite dehors et là, par terre, j'aperçois une grosse branche fumante.

Je hurle:

— ÉVARISTE!

Un autre éclair laisse entrevoir les chaussures d'Évariste abandonnées là, côte à côte, de façon sinistrement étrange. Ne manque qu'un filet de fumée s'en échappant qui laisserait croire qu'Évariste s'est désintégré sur place. Mais je ne peux pas croire à cela, alors je continue de m'époumoner:

— ÉVARISTE! ÉVARISTE!

Les lanternes du perron s'allument; mon père et ma mère apparaissent. Je leur montre les chaussures près de la branche cassée. Ils me dévisagent, consternés, et se mettent à appeler à leur tour.

— ÉVARISTE! ÉVARISTE!

On crie toute la nuit sous le ciel qui s'illumine et qui s'éteint comme un stroboscope en folie. Les étoiles sautent comme des plombs et peu à peu, nos espoirs aussi.

À l'aurore, on comprend qu'Évariste a disparu.

20 LA PROMESSE

— **B**on, récapitulons, fait maussadement l'agent délégué chez nous.

Habituellement, il faut compter 24 heures pour déclarer une disparition, mais les circonstances que nous avons rapportées n'étant pas ordinaires, on nous a tout de suite dépêché un policier. Un taupin avec tête à brosse et caractère à cran (comme son arme). C'est Noël et déjà il ne digère pas d'être de service, mais avec notre histoire abracadabrante, il

129

développe à vue d'œil un mal de bloc carabiné.

— Si je comprends bien, râle-t-il en se malaxant le temporal, vous ne connaissez ni le nom, ni l'adresse, ni l'âge de la personne que vous hébergiez depuis deux mois. Il souffrait d'amnésie, mais parce qu'il ressemblait à votre grand-père, vous ne l'avez pas conduit à l'hôpital.

«Passe encore, convient l'agent d'un revers de la main. Mais à présent, vous me dites, en me montrant des godasses calcinées sur votre gazon, que le bonhomme vous aurait servi de paratonnerre, qu'il aurait été désagrégé par la foudre. Pfoutt! cautérisé comme une verrue sous un pied, dissous comme une aspirine dans du café!»

Là, il nous fixe comme des insectes dans un bocal.

— Moi aussi, j'aime bien les shows de David Cooperfield et d'Alain Choquette, mais là, voyez-vous, votre bonhomme n'a même pas laissé un peu de poudre de perlimpinpin en s'évaporant.

Il replace ses épaulettes et prend un air de grand commissaire.

— On a beau être à l'ère de la fiction, du nucléaire, de l'ésotérisme et tout le toutim, faut pas charrier, hein! Y a des choses qui sont possibles et d'autres non. C'est pas parce que c'est Noël qu'on va retrouver votre bonhomme dans la cheminée!

— N'empêche que c'est lui qui nous l'a montée, la cheminée, dis-je tout haut en évoquant ce coup de main d'Évariste.

L'agent fait fi de ma réflexion et attaque sur un autre front:

— Décrivez-le-moi maintenant. Vous dites qu'il ressemblait à votre grand-père: vous devriez pouvoir me donner des détails.

. — La photo! que je m'étrangle.

Ma mère me regarde et se rallie.

— C'est vrai! Celle que j'ai prise dans ta chambre à coucher, l'autre jour. Le film a été développé. Les photos sont dans mon sac à main.

Je cours chercher son sac, l'ouvre, en sors l'enveloppe contenant les photos et j'entreprends de les trier sous l'œil vigilant de l'agent. Facile de reconnaître celle que je désire, les autres représentant toutes des oiseaux.

Après un court instant, je triomphe:

— Je l'ai!

Mais je déchante presque aussitôt en examinant le cliché: Évariste en est absent!

Je dois avoir l'air pas mal dépassé, car maman m'ôte la photo des mains.

— Mon doux! j'ai dû mal ajuster l'appareil, Évariste n'y est pas, déplore-t-elle.

C'est au tour de mon père de s'emparer de la photo.

— C'est incroyable...

L'agent pousse un soupir à faire avancer un catamaran dans des sables mouvants. Il détache hargneusement un formulaire et nous le tend.

— Vous remplirez ça. Maintenant si vous voulez m'excuser, Noël est toujours une journée chargée.

Je suis sûr qu'il se retient d'ajouter: «Comme si on n'en avait pas assez de se taper les poivrots, faut aussi se farcir les zozos».

Il décampe en plantant bien fort ses talons dans la marqueterie qui se fissure.

Moi, je reprends la photo et la dévore des mirettes. Mon père est là, ma mère est là, je suis là, même Sardine et ses chatons sont là, mais Évariste, non. Fantomas! Pourtant la photo paraît bien centrée.

C'est à n'y rien comprendre. Je lève la tête, sonné, et j'avise le sapin avec, dessous, le cadeau qu'Évariste m'a emballé. C'est plutôt mince, plat. Je me l'approprie, déchire le papier et découvre une ravissante toile qu'il a dû peindre en secret avec l'ensemble d'aquarelle de ma mère.

Ça représente un arbre en fleurs si joli, si émouvant que les larmes me montent aux yeux.

À l'arrière, on lit une inscription:
À Jean, toujours dans son printemps.

Un mot suit:

À ta mère, j'ai dédié l'été, à ton père,
l'automne. J'ai gardé l'hiver. Drôle de ca-
deau un «quatre saisons» qui n'en compte
que trois. Mais les absents sont ceux qui
nous manquent le plus, non...?
Je serai toujours là.

Ma vue s'embue. J'enfouis mon visage
dans mon bras. Il me semble sentir la main
tiède d'Évariste sur ma nuque et sa voix résonne en moi. Je sais déjà que jamais elle ne
s'éteindra.

Je sors. Les chaussures sont encore près
de l'érable. Ça me vient d'un coup. Je vais
au garage prendre une pelle. Au pied de
l'arbre, je creuse un trou et y dépose les
chaussures. Je rentre ensuite chercher mon
cadeau pour Évariste: une statuette en me-
risier qu'une de ses histoires m'a inspirée.
Tenez, je vous la conte:

À la veille des vacances, Saint-Pierre
demande à Jésus de le remplacer à la porte
du paradis. «Je ne sais trop...», hésite Jésus.
«Facile, assure Saint-Pierre, quelques formalités, sans plus.» Jésus accepte et voilà

qu'un premier postulant se présente. Un vieillard voûté. «Si vous le permettez, monsieur, j'aurais une ou deux questions à vous poser», dit Jésus. «Faites, faites, consent le vieil homme, je n'ai rien à cacher. Toute ma vie, j'ai travaillé comme charpentier et je n'ai eu qu'un fils qui malheureusement a disparu.» Bref moment de stupeur. Ému, Jésus se penche et murmure à l'oreille du patriarche: «Papa...?» N'osant y croire, le vieux lève la tête pour souffler à son tour, plein d'espoir: «Pinocchio...?»

Cette histoire m'avait diverti à un moment où j'en avais bien besoin. C'est là que j'avais entrepris de sculpter un bonhomme à Évariste pour Noël, pendant que ma mère découpait les siens en pain d'épices.

Pieusement, je couche mon Pinocchio sur les chaussures d'Évariste et je recouvre le tout.

Ensuite, je m'appuie contre l'arbre et contemple le ciel blanc. Des flocons y tourbillonnent. La tête renversée, j'avale ces poussières d'étoiles. L'hiver commence. Au printemps, je planterai des myosotis au pied de l'érable, vous savez ces fleurs bleues, si fines qu'on appelle parfois des «Ne m'oubliez pas...»

FIN

LES ARBRES
Poème de Marcel Gagnon

À 10 ans, je me servais des arbres pour faire des roues de brouettes.

À 20 ans, je me servais des arbres pour gagner ma vie, car j'étais bûcheron.

À 30 ans, alors que je restais en ville, je les trouvais beaux et j'en décorais ma cour.

À 42 ans, pour moi, ces mêmes arbres sont devenus des êtres vivants au même titre que les hommes. Vous savez, les arbres sont comme nous, il y en a des grands et des petits. Avez-vous remarqué que, lorsque vous voyez une foule de loin, ces hommes vous semblent tous pareils? C'est la même chose pour la forêt, tous les arbres sont semblables, mais en vous approchant, vous vous apercevez qu'il y en a des petits, des grands, des fourbus, des bossus, des morts et, tout à côté, de jeunes pousses.

Quand on parle de la loi de la jungle c'est cette même loi qui sévit dans la forêt. Beaucoup d'arbres sont écrasés par l'ombre des gros; c'est une loi naturelle et il faut l'accepter.

Les branches ont un rôle important à jouer: si on les compare aux hommes, elles sont les routes qu'on prend chaque jour de notre vie. Au bas du tronc, les branches sont plus grosses et plus entêtées; plus elles prennent de l'âge plus les branches sont petites et de plus en plus fines.

On revient toujours à notre tronc, à nos racines; l'arbre également finit par une branche très très fine qui se perd dans le ciel; la tête de l'arbre redevient le petit arbuste du début...

Tout comme l'homme, en vieillissant, retrouve la sagesse de l'enfant.

TABLE DES MATIÈRES

Ce clair obscur de l'auteure a été réalisé par sa soeur Madeleine. Le sous-bois est une trouvaille de son autre soeur Marie-Andrée. Ces dernières prétendent que l'ombre avantage particulièrement l'auteure...

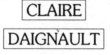

CLAIRE
DAIGNAULT

Claire Daignault a toujours aimé les arbres. Enfant, elle y grimpait, munie de bandes adhésives, pour réparer les branchettes cassées (snif!). Comme elle demeurait près d'un verger, elle a par ailleurs développé des talents de chimpanzé.

Elle rêvait aussi qu'elle était une cruche, pardon, une pruche de 400 ans, qui s'ennuyait un brin depuis le temps, jusqu'à ce qu'une scie à chaîne lui fasse perdre la tête et qu'elle finisse ses jours sous forme de roman jeunesse.

Une belle fin, quoi!

Collection Conquêtes
dirigée par Robert Soulières

1. Aller retour
de Yves Beauchesne et David Schinkel
Prix Cécile-Rouleau de l'ACELF 1986
Prix Alvine-Bélisle 1987

2. La vie est une bande dessinée
nouvelles de Denis Côté

3. La cavernale
de Marie-Andrée Warnant-Côté

4. Un été sur le Richelieu
de Robert Soulières

5. L'anneau du Guépard
nouvelles de Yves Beauchesne et David Schinkel

6. Ciel d'Afrique et pattes de gazelle
de Robert Soulières

7. L'affaire Léandre et autres nouvelles policières
de Denis Côté, Paul de Grosbois, Réjean Plamondon
Daniel Sernine et Robert Soulières

8. Flash sur un destin
de Marie-Andrée Clermont
en collaboration avec un groupe d'élèves

9. Casse-tête chinois
de Robert Soulières
Prix du Conseil des Arts du Canada, 1985

10. Châteaux de sable
de Cécile Gagnon

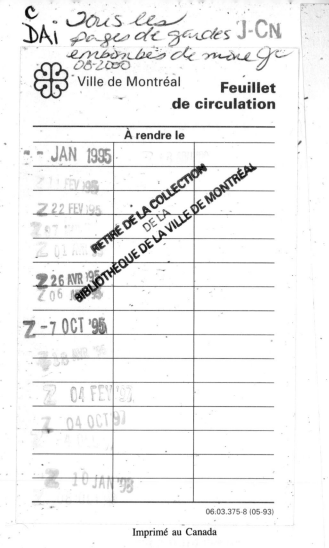

Imprimé au Canada

METROLITHO
Sherbrooke (Québec)